CINCO OU SEIS DIAS

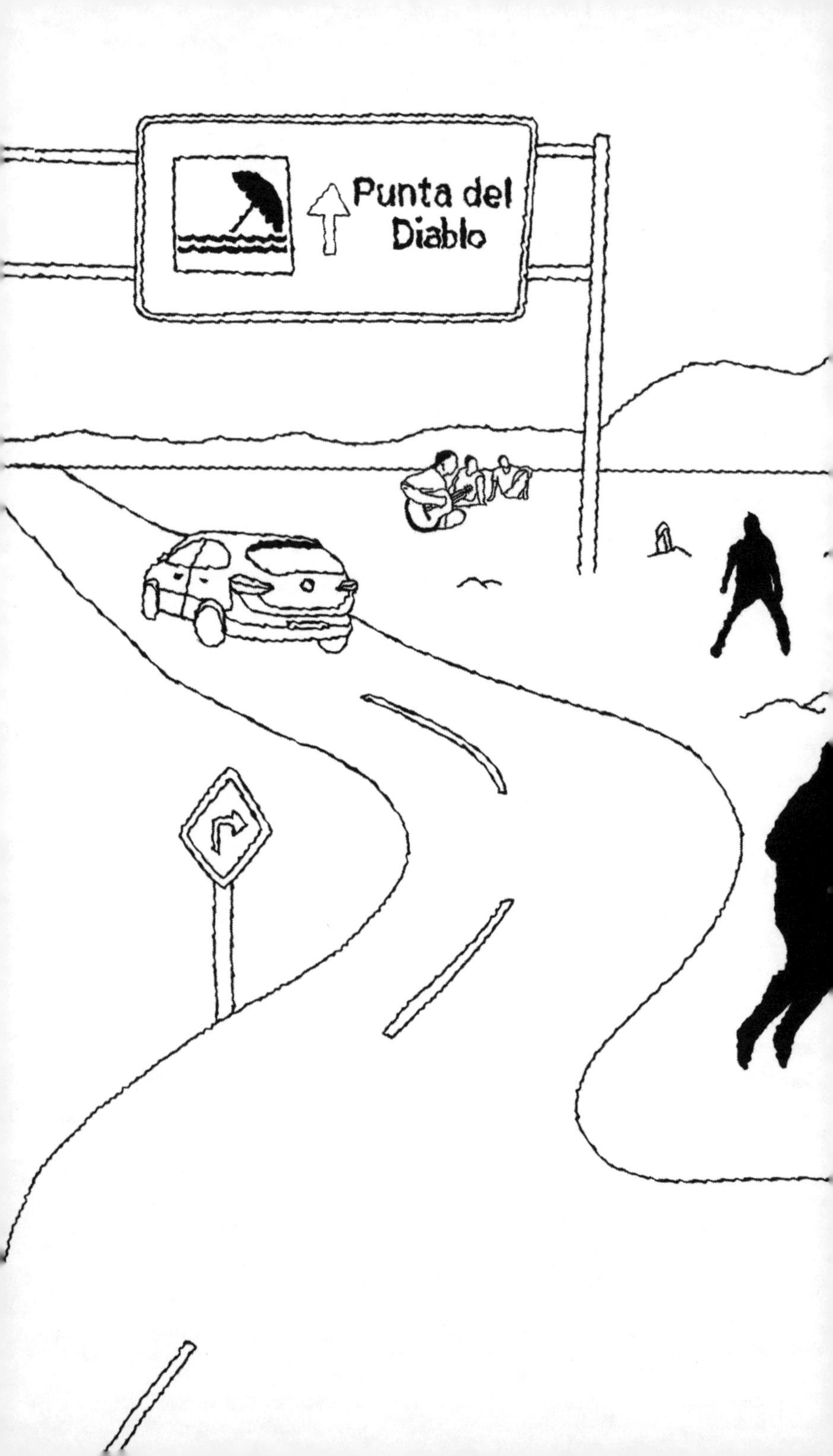
Punta del
Diablo

Cinco ou seis dias

Danichi Hausen Mizoguchi

2ª impressão

Porto Alegre
São Paulo
2024

Copyright © 2022 Danichi Hausen Mizoguchi

CONSELHO EDITORIAL Eduardo Krause, Gustavo Faraon, Nicolle Garcia Ortiz, Rodrigo Rosp e Samla Borges
PREPARAÇÃO Rodrigo Rosp
REVISÃO Raquel Belisario
CAPA E PROJETO GRÁFICO Luísa Zardo
FOTO DO AUTOR Samir Arrage

DADOS INTERNACIONAIS DE CATALOGAÇÃO NA PUBLICAÇÃO (CIP)

M679c Mizoguchi, Danichi Hausen.
Cinco ou seis dias / Danichi Hausen Mizoguchi.
— Porto Alegre : Dublinense, 2022.
192 p. ; 21 cm.

ISBN: 978-65-5553-053-7

1. Literatura Brasileira. 2. Romance Brasileiro.
I. Título.

CDD 869.9308

Catalogação na fonte:
Ginamara de Oliveira Lima (CRB 10/1204)

Todos os direitos desta edição
reservados à Editora Dublinense Ltda.

Porto Alegre • RS
contato@dublinense.com.br

> Tudo o que escrevi foi uma carta de amor ou de despedida à minha geração.
> **Roberto Bolaño**

> Mas acho que é assim quando não se vê a saída: nada é alheio, a vida é o que é, engajamento, gerações derrotadas, e a gente se acostuma à dor, a dor que no final fará o resto.
> **Paulo Scott**

> Nesse caso, como a cada geração, foi-nos concedida uma frágil força messiânica para a qual o passado dirige um apelo. Esse apelo não pode ser rejeitado impunemente.
> **Walter Benjamin**

9
Uruguas

23
Outono

41
Sanguessugas

65
Sinuca

93
Inverno

105
Película

123
O resto

185
Despedida

URUGUAS

1.

Quando começamos a acertar os detalhes da viagem, o racha da gasol, quem teria o carro dos pais disponível, quem poderia sair em qual dia, que dia teríamos de estar de volta, a grana pouca das contas universitárias na conta, os pais e os carros na conta, o câmbio na conta, tudo o que tinha de estar na conta na conta, um de nós sugeriu que naquele ano mudássemos o destino. Quem sabe Santa Catarina, alguma prainha em Floripa, tem Campeche, Lagoinha do Leste, Matadeiro, vários picos massa, talvez um pouco mais acima, Mariscal, Zimbros, Quatro Ilhas, quem sabe um pouco mais abaixo, Gamboa, Siriú, região de Garopaba, alugar duas ou três casinhas de pescador, ficar acampados, tanto faz, mas variar um pouco a onda, mudar um pouco o destino, cruzar o Mampituba em vez do Guaíba, mas sequer foi preciso votação para que essa proposta fosse vencida.

Porque todo mundo concordava que aquelas praias todas eram mesmo lindas, que isso era inquestionável, que o litoral de Santa Catarina era um paraíso, um dos mais bonitos do Brasil, foda, foda mesmo, ponto pacífico, ok, ok, ok, todos de acordo, ouvir os catarinas falando jacarezinho de parede, briói, avião de rosca, boi ralado, segue reto toda vida, se queres queres se não queres diz, mas todo mundo pilhava mesmo era de voltar ao acampamento no bosque de eucaliptos, com dois restaurantes, um mercadinho e um punhado de praias que cercavam a Fortaleza de Santa Teresa, aquele lugar que desde 1762 já tinha sido português, espanhol e brasileiro, efeitos de guerra, de bulas papais, de colonização, de todas aquelas questões que eram parte do passado, porque todo mundo pilhava mesmo de voltar à construção alaranjada que hoje servia pra que jovens descolados do sul da América do Sul ficássemos mais próximos uns dos outros, descansando e sonhando, guarda-sóis, mates, cangas, cervejas e bolas por perto, os corpos quase nus atirados na areia, papos, olhares, sorrisos, aham, só curtindo a buena onda que era estar lá, porque todo mundo pilhava mesmo de atravessar a Castelo Branco de cabo a rabo, ponte, varar a madruga em direção ao sul, pampa, coxilhas, ovelhas, vacas, Eldorado, Camaquã, Pelotas, Rio Grande, Taim, os biguás, os jacarés, as capivaras, as tartarugas, os ratões-do-banhado, Santa Vitória do Palmar, Chuí, free shop, câmbio, documentos, aduana, mais trinta quilômetros sempre ao sul, dobrar à esquerda e deu pra bola, era isso, fodeu, brilhou, é tudo nosso.

2.

E era só descer do carro, esticar as pernas e sentir o cheiro das folhas de eucalipto pra nos sentirmos em casa, em uma pátria estendida cujas fronteiras eram diferentes dos mapas oficiais, uma pátria estendida cujas fronteiras éramos nós que fazíamos, porque sabíamos onde fincar nossas barracas, o melhor lugar, a manha, porque já fazia três anos que íamos passar o ano-novo lá, porque lá andávamos aos acenos, meneios de cabeça e cumprimentos, esqueci o nome dele, não acredito que aquele filho da puta tá aqui, oi, tudo bem?, opa, quem é vivo sempre aparece, aquela ali eu já comi, essa toma Coscarque, vocês tão acampados onde?, ali, ali, é?, olha, bem pertinho da gente, vocês já tinham vindo pra cá?, sim, sim, a gente vem todo ano, que coisa louca a gente se encontrar aqui, como o mundo é pequeno, é verdade, é verdade mesmo, e a burguesia é menor do que o mundo, e a burguesia porto-alegrense é menor que a burguesia, e a juventude burguesa porto-alegrense é menor do que a burguesia porto-alegrense, e a juventude burguesa universitária descolada porto-alegrense é menor do que a juventude burguesa porto-alegrense, bah, pior, é verdade, futebolzinho na praia no fim da tarde?, bah, certo, festinha na virada?, bah, com certeza, tá tri, então, falou, falou.

Tudo aquilo que era o que queríamos quando nos deslocamos mais de quinhentos quilômetros ao sul, a aspereza da areia e nós, a água gelada e nós, o mar bravio e nós, a secura do ar e nós, os escorpiões e nós, Andrômeda, Ursa Maior, Ursa Menor, Três Marias, Cruzeiro do Sul e nós, nós e a fogueira que montamos na primeira noite, a cerveja nos isopores, os choripans na churrasqueira, os clássicos no violão, Raul, Bob, Beatles, Chico, Caetano, Gil, e a primeira vez que um de nós criava coragem pra mostrar a música que tinha feito dias antes da viagem, uma canção com uma batida dura e repetitiva de violão, sempre pra baixo, meio The Strokes, que falava rapaz, se isso não te apraz não corre atrás, creia, eu descobri os sonhos teus é tu quem faz, decifra a tua palma, acerta o passo, impeça que outro alguém te torça o braço, permita-te adorar o teu cansaço tanto quanto o teu vigor, dispensa a verdade, te convença, essa doença já tem cura feita à base de ilusão, entenda que esse canto é um acalanto e no entanto não te esqueça, inventa um sonho e corre atrás.

3.
E jogávamos frescobol, e jogávamos futebol, chinelo é trave e mar é fora, e jogávamos taco, três pra trás, bola perdida, licença pra dois, entrega os tacos, e atravessávamos os sete quilômetros de dunas que separam o Cabo Polônio da estrada empoleirados na parte de cima do quatro por quatro, e nos divertimos com os solavancos e as atoladas, e nos espantamos mais uma vez com a faixa de areia interminável, com as casas espetadas no morro, com os lobos-marinhos, com o farol, com tudo que era aquele lugar, e colocamos nossos guarda-sóis e nossas cangas em um ponto distante de outros veranistas, quase isolados, inventando uma praia só pra nós, e nos estatelamos no sol forte, e furamos ondas e pegamos jacarés nas águas quase glaciais, e ficamos nessa até o começo da tarde, tchibum, areia, bronze, baseado, soninho, papo, até irmos até o restaurante da ponta mais ao norte do Cabo, comida legal, pratos grandes, preço honesto, vista do mar, tudo de bom.

E perguntamos se aqueles pratos do cardápio davam para compartir entre duas pessoas, e nos entretemos escolhendo o que iríamos comer, peixes, camarões, mexilhões, e tomamos umas Patrícias mornas, tão geladas quanto era possível em um lugar sem energia elétrica, e depois de comer nos atiramos na sombra pra sestear e fazer a digestão antes de jogar o nosso futebol, o futebol na areia, o futebol de todos os anos, com a bola um pouco murcha pra não machucar os pés, porque a água salgada e a areia dura faziam o couro virar uma lixa que lanhava nossos pés enquanto corríamos até não poder mais, até nos jogarmos todos no mar, felizes, abraçados, porque não importava ganhar ou perder, importava era estar com os amigos no futebol, e nos demos conta de que tínhamos exatamente a mesma quantidade de gremistas e de colorados e que poderíamos fazer um Gre-Nal, e se poderíamos fazer um Gre-Nal deveríamos fazer um Gre-Nal, mas um Gre-Nal fraterno, no qual a disputa não sobrepusesse a harmonia do grupo, onde o azul, o preto, o branco e o vermelho que imaginávamos em nossos dorsos nus seriam um mero detalhe quase esquecido, e foi o que fizemos, um Gre-Nal fraterno do qual as gurias não podiam participar, porque mesmo um Gre-Nal fraterno é um Gre-Nal, coisa pra homem, coisa pra macho.

E calhou de ser uma partida mais parelha do que poderíamos imaginar, que fez aos poucos crescer a vontade de ganhar, afinal de contas representávamos nossos times, um povo, uma fração do Rio Grande, e naquele que poderia ser o último lance, pois o jogo ia até dez e estava empatado em nove a nove, a bola bateu na mão de um de nós, daquele de nós que já havia pedido três vezes mão ao longo da partida, todas elas não intencionais, e seria pênalti, o pênalti que poderia finalmente decretar a vitória e o fim do jogo, e ele disse que não. Mas disse que não em desespero, o desespero de quem estava prestes a perder mas não podia perder, e disse que não tinha sido mão, que não tinha sido intencional, e os caras do outro time disseram que a regra deveria valer para todos, e ele esbravejou antes de admitir que a bola poderia até ter tocado na sua mão, mas tinha sido fora da área, que não era pênalti, que não era pênalti de jeito nenhum, e os caras do outro time disseram que era pênalti sim, que era impossível ter sido fora da área, foi aqui ó, e essa discussão perdurou por muito tempo, e o jogo que poderia acabar ali não acabou, ou acabou aos poucos, porque um a um fomos saindo em direção ao mar pra desfazer o suor e o croquete, pegar um jacaré e esfriar a cabeça, porque poderíamos ter ganho e poderíamos ter perdido o jogo naquele lance, mas um de nós não poderia perder de jeito nenhum, porque não gostava de perder, porque não aguentava perder, porque não sabia perder, e depois todos concordamos que o empate estava de bom tamanho, que foi a melhor coisa, porque assim todo mundo saía satisfeito, que se pudéssemos combinar antes era empate mesmo, empate em nove a nove, que não poderia haver resultado mais perfeito que aquele, o empate no nosso Gre-Nal em Cabo Polônio.

4.

Tanto é que à noite já estávamos animados com a festinha com cumbia, reggae e reggaeton que ia rolar na beira da Playa de los Pescadores, em Punta del Diablo, there's a natural mystic blowing through the air, solo voy con mi pena, sola va mi condena, me dicen el clandestino, por no llevar papel, dices que me quieres, que de amor por mi te mueres, dices que me quieres, soy un tonto que te cree, boquita mentirosa, ladrona del amor, e nessa festinha uma das gurias do grupo ficou com um cara de fora do grupo, e quando era hora de partir quis levar ele pra barraca onde dormiu sozinha todas as noites anteriores, tranquila, sem grilos, bêbada, chapada.

Mas um de nós disse não, não, óbvio que não vai rolar, mas tem lugar no carro, disse outro de nós, é só apertar um pouco, é, tem lugar, mas eu quero ir confortável e com as pernas abertas e não cabe mais ninguém nesse carro, e talvez tenha rolado um sussurro aqui e outro acolá, uns não precisava, tá com ciúme, bah, que ridículo, mas ninguém tomou as dores, ninguém se posicionou, ninguém bateu de frente, porque éramos da paz, porque não gostávamos de brigar, porque a harmonia do grupo era fundamental, porque estávamos lá pra celebrar juntos a vida e a virada e não seria um uruguaio qualquer que iria atrapalhar o nosso bando, um uruguaio que até parecia um de nós, que até poderia ser um de nós, um uruguaio de cabelo rastafári, sem camisa, bermuda jeans desbotada e desfiada, sandália de couro e barba mal feita, meio hippie, que vendia sua arte pelo litoral no verão e que ficou com cara de quem não estava entendendo nada quando viu a guria ir embora de cara amarrada sem sequer dar tchau, e já no carro este que era um de nós sussurrou com orgulho, meio baixo, meio como quem fala consigo mesmo, meio na frente do espelho, eu que não vou deixar mina nossa dar pra gringo nenhum, e como nenhum de nós queria que mina nossa desse pra gringo nenhum, todos silenciamos, e na manhã seguinte já dizíamos que estaríamos sempre lá, repetindo aquela noite, aquele amanhecer, aquelas barracas, aquela praia, aquela festa, aquilo tudo, nós e quem mais se agregasse com o tempo, um namoradinho aqui, uma ficante acolá, novos amigos, todos bem recebidos, é claro, mas sempre nós, que dali a dez ou quinze anos estaríamos mais uma vez na nossa utopia particular, um tanto mais velhos, é óbvio, a calvície, os fios de cabelos brancos, os corpos um tanto mais flácidos e menos resistentes, as marcas das cesáreas, as rugas, os pés de galinha, os pinos nos joelhos, as dores nas juntas, as dores nas costas, as barrigas de cerveja, as cadeirinhas de bebês levando um, dois, três, dez bacuris que andariam soltos pelo camping, que nos despertariam cedo, a quem daríamos de mamar, de quem trocaríamos as fraldas, bacuris que levaríamos à praia com todos os cuidados, besuntados de protetor solar especial, com chapeuzinhos fofos na cabeça, que andariam lentamente, cambaleantes, mãos dadas com os pais e os tios, às vezes na cacunda, as barriguinhas e as bochechinhas tão boas de apertar, bacuris com roupinhas coloridas, as fraldas por baixo das sunguinhas e dos biquininhos, com seus passinhos de bêbado, um boléu aqui e outro acolá, tudo bem, foi só o susto, não fez dodói, com seus brinquedinhos de areia, baldinho, carrinho, bolinha, tudo tão lindinho, um, dois, três, dez bacuris que nos acompanhariam em tudo que fizéssemos da manhã à noite, até adormecerem nos nossos colos, e, sentados mais uma vez em volta do fogo que assaria os mesmos quilos de entrecot e de corvina negra de sempre, nos olharíamos com orgulho do tanto que tínhamos feito juntos.

5.

E foi com alegria que celebramos a virada. Sem fogos de artifício, pois éramos muito mais do que os pipocos que estouravam contra o céu escuro e estrelado para o qual olhávamos com encantamento, explosões lá onde não íamos, aonde não queríamos ir, aonde nos negávamos a ir, pipocos que estouravam no céu distante das praias ainda mais ao sul, Punta del Este e os bacanas, La Paloma e as famílias, porque éramos muito mais do que aquilo tudo, mais do que os bacanas, mais do que as famílias, mais do que os brancos e amarelos que vestíamos em nossa superstição sincrética, calcinhas e cuecas, do que os azuis, pretos e brancos de sempre, os vermelhos e brancos de sempre, esperançosos pelas taças, mais do que a lentilha da fortuna que esquecemos de fazer, que as doze uvas que alguns de nós comeram, que as sete ondas que tantos de nós pularam, mais do que os desejos e as promessas que fizemos no momento exato em que o ponteiro completou uma volta inteira pela última vez naquele ano, acompanhado em seus últimos instantes pela contagem regressiva que acompanhamos aos berros, dez, nove, oito, sete, seis até os beijos, os abraços e os brindes, como quem crê que a virada garante algo, como quem não percebe que o primeiro de janeiro é sempre igual ao último de dezembro, como quem finge esquecer que nada de ruim aconteceu no ano que findava e que nossa vida era boa, que nossa vida era muito boa.

6.

Cerca de meia hora depois, nos afastamos da festa que reunia brasileiros, uruguaios e argentinos dançando de pés descalços na areia fofa, todos yiran y yiran, todos bajo el sol, se proyecta la vida, mariposa tecknicolor, deixa eu dançar, pro meu corpo ficar odara, minha cara, minha cuca ficar odara, nos juntamos muito próximos ao mar e colocamos os pedacinhos de papel debaixo das línguas, um quartinho, uma meiota, um inteiro, cada qual com sua dose, sentimos o gosto metalizado do ácido da bicicletinha delicadamente tomar conta da boca e esperamos a onda bater, uma brisa leve primeiro, quase imperceptível, tá batendo, tá batendo, acho que sim, pra mim ainda não, pra mim já tá, e nesse canto da praia vimos tudo se transformar aos poucos, as conchas brilhando como nunca, o esmero das formas esculpidas sem pressa, a natureza presente em cada gota de água salgada, em cada farelo de areia, em cada rasgão de vento que tocava nossos ouvidos e nossa pele, em cada estrela, e tudo era a coisa mais linda do mundo, a vida, o tempo, o espaço, nós, a lua, a África do outro lado do oceano, tão perto que parecia possível chegar lá andando mar adentro, e um de nós disse que a avó era a cara do Woody Allen, e isso era a coisa mais engraçada do mundo, uma avó que era a lata do Woody Allen, uma avó chata ainda por cima, quatrocentona, que implicava com a roupa, que implicava com o cabelo, e de repente tudo deixava de ser muito lindo e ficava muito engraçado, e todos ríamos, ríamos, ríamos até esquecer do que é que ríamos, o riso de um puxando o riso do outro, o riso de todos puxando o riso de todos até todos perderem o ar, e ríamos ainda mais porque um de nós tinha ficado verde e ser um guri verde era muito hilário, e subimos nas dunas, e sentamos nas pedras, e lembramos da infância, e lembramos de nós, e choramos, e rimos, e choramos, e rimos de novo até o nascer do sol, mais lindo, mais lento e mais laranja do que nunca, o nascer do sol que era a beleza do mundo lentamente se tornando outro, a beleza do mundo lentamente se tornando outro junto aos amigos que era tudo que queríamos, e vendo o sol nascer pela primeira vez naquele ano, nos abraçamos todos, felizes com o mundo, venturosos com a vida, crentes em nós, nós que éramos muito mais do que aquilo tudo, nós que éramos nós, nós que éramos uma geração.

OUTONO

1.

Mesmo um pouco desconfiado, sem saber muito bem o que os três amigos da época de colégio de quem tinha se afastado durante os anos de faculdade poderiam querer, Dante achou que almoçar juntos naquele meio de semana frio e chuvoso do começo do outono não era um problema, porque já fazia muito tempo que não se falavam, porque não sabia mais nada da vida deles, se estavam solteiros, se estavam namorando, se estavam trabalhando, o que andavam aprontando, nada, e que podia ser bom comer uma parada e conversar um pouco depois de tanto tempo.

Depois dos como é que tu tá?, o que tu tem feito?, como é que vão as coisas?, e teu pai e tua mãe?, todo mundo já escolheu?, tô com a barriga roncando, podemos pedir?, vou querer esse filé grelhado com talharim ao molho funghi e um suco de abacaxi com hortelã, Dante ouviu um deles dizer com a expressão séria que também tinham terminado a faculdade há pouco, que se formar não era tranquilo, que aquele começo não era barbada pra ninguém, que na real era meio apavorante, que as coisas não estavam fáceis, que já eram três meses de limbo, que estavam preocupados, querendo fazer alguma coisa interessante, útil, ganhar uns trocos, que já tinham tentado algumas coisas, contatos, seleções, currículos, mas nada rolava, e que achavam que era melhor ir direto ao assunto, que não valia a pena enrolar, que tinham convidado ele pra almoçar porque queriam fazer um convite que poderia parecer inusitado, mas que se desse certo podia ser bom pra todo mundo.

2.

Quase calado, sem saber se tinha entendido muito bem o que eles estavam querendo, Dante escutou os guris dizerem que a ideia era juntar as especialidades dos quatro, um psicólogo, dois administradores e um publicitário em um projeto comum, que tinham um capital pra investir, que tinham uma poupança que podiam usar pra esse tiro inicial, tu nem precisa entrar com dinheiro, isso é com a gente, a gente tem o que precisa pra começar, a gente sabe administrar, botar na ponta do lápis, fazer cálculo, usar o Excel, fazer planilha, fazer render, divulgar, essas coisas, e duvido que tu discorde que a gente precisa inovar, que a fábrica já era, que isso que teu pai construiu ninguém mais vai construir, que é nicho só pra quem já tá no mercado, pra quem tem nome e grana, e mesmo esses vão penar pra durar, porque a empresa assim como a gente conhece também já tá com os dias contados, que vai ser outra coisa daqui pra frente, a gente fez até um cursinho irado sobre isso mês passado e achamos que é muito real, inclusive tem uma galera ganhando muita grana com isso, muita grana mesmo, coisa de milhão, gurizada jovem, e a gente sacou que precisa seguir essa onda, estar na linha de frente, lançar, disparar, ser vanguarda, que a gente é jovem e não pode ficar parado esperando as coisas acontecerem, levar a mesma vida dos nossos pais, posto na hierarquia, pirâmide, degrau a degrau na corporação, não, não, a gente tem que fazer o lance, jogar o dado, apostar, e a gente acha que chegou a hora e queria te convidar pra criar esse lance com a gente.

Todos balançaram a cabeça afirmativamente e em silêncio, e um deles disse que queriam enfrentar as dificuldades que o mercado impunha, mas sem obedecer as direções do mercado, tentando entender o mercado pra poder dirigir o mercado e ajudar a construir um mundo melhor, porque quem deve se impor são as pessoas, e não o mercado, e que era isso que queriam fazer, um mundo em que as pessoas fossem protagonistas, uma parada inovadora, autêntica, que possa gerar um impacto positivo na cadeia de produção, no mercado, nas pessoas, enfim, uma coisa meio disruptiva, tá ligado?, e era para isso que queriam a ajuda de Dante, porque a gente precisa de alguém que manja de algo que a gente não manja, e a gente acha que é tu, porque tu entende de algo que a gente não entende muito bem, mas que a gente sacou que pode dar liga, porque tu tem um know-how da Psicologia que a gente não tem, nesse cursinho a gente aprendeu um pouco sobre esses caras que tu estudava, não sei se ainda estuda, uns franceses, sei lá mais quem, e a gente pegou o básico do lance, foi só uma parte de uma aula, mas já deu pra ver que é muito bom, tem uma coisa do capital e do desejo que é sensacional, e a gente acha que essa é uma chave importante, podemos explicar melhor depois, mas em suma é isso, meu velho, é um convite profissional, claro que sim, óbvio que sim, ninguém é hipócrita aqui, mas é importante deixar claro que é também um convite em nome da nossa parceria, da nossa história, da nossa amizade, daquelas coisas que a gente acha que nunca deviam ter ficado pra trás.

3.
Surpreso com o convite e com tudo o que ouviu, com os pensa com calma, não precisa responder agora, o almoço é por nossa conta, não te preocupa com isso, a gente faz questão, tem certeza que não quer carona, a gente vai se falando, Dante lembrou daquele dia que mudou a vida dele, dia em que chegou atrasado na sala, procurou um lugar vazio e ficou olhando assustado pros cerca de quarenta guris e gurias sentados em roda escutando atentos a professora de Análise Experimental do Comportamento explicar que era mestre havia pouco mais de três meses, que era ex-aluna daquela mesma instituição, que fez lá a graduação e a pós-graduação em sequência, que foi contratada pra lecionar naquele semestre uma semana antes das aulas começarem, professora que fez a chamada, expôs brevemente os conteúdos da matéria, os textos de referência, o modelo de avaliação, a metodologia de trabalho, que avisou que iria trabalhar com muitas lâminas, que as lâminas já estavam disponíveis no xerox do térreo, que sugeriu que antes de encerrar o primeiro encontro cada um deles se apresentasse pro restante da turma, que poderiam falar o nome e porque é que tinham escolhido a Psicologia, porque assim já iam se conhecendo, ela conhecendo os alunos, os alunos se conhecendo, que isso era fundamental pra se entrosarem o mais rápido possível, porque tinham anos muito especiais pela frente, porque ali fariam amigos pra vida toda, e que se pudesse dar um conselho diria que as disciplinas são todas importantes, mas que acima de tudo é preciso aproveitar cada instante daqueles anos que não voltam nunca mais.

4.

Ainda perto do shopping, caminhando pra casa com as mãos nos bolsos da calça e o capuz da jaqueta na cabeça, Dante lembrou do calor no rosto e das mãos suando, dos risos nervosos e dos olhares desviantes, daquele pouco mais de um minuto de silêncio antes de uma guria levantar a mão e pedir a palavra, tá bem, vamos lá, alguém tem que começar, meu nome é fulana e escolhi a Psicologia porque minhas amigas dizem que eu sou a psicóloga delas, porque tudo que é coisa que acontece elas vêm me contar, é fim de namoro, é briga com a mãe, é dúvida sobre o que fazer, sei lá, tudo, e vocês vão ver que eu sou muito extrovertida, adoro falar, tô sempre brincando, amo conhecer gente, acho que uma boa psicóloga ama conhecer gente, né?, e espero fazer muitos amigos aqui e que a gente forme uma ótima turma juntos, e depois outras pessoas aos poucos foram atrás, porque eu adoro escutar, ah, sei lá, porque eu me interesso pelos problemas dos outros, porque minha psicóloga me ajudou muito, sou um ser humano muito melhor depois de fazer terapia, porque eu quero me conhecer melhor, olha, vou ser sincero, tô aqui porque não tinha nada melhor pra fazer, é porque quero saber como o cérebro funciona, porque minha mãe é psicóloga e eu quis seguir os passos dela, ai, gente, eu sou apaixonada pelo trabalho da minha mãe, ela é o máximo.

Dante lembrava de ficar cada vez mais tenso, porque quase todo mundo já tinha ido e ele não fazia a menor ideia do que dizer, porque a verdade é que meses antes não se imaginava em nenhuma das profissões exibidas nas feiras realizadas no colégio ao longo de todo ano anterior, quando engenheiros, arquitetos, médicos e advogados de renome iam explicar os seus trabalhos aos adolescentes em dúvida, qualidades exigidas, ganhos médios, carga horária, mercado, e como não se interessava por nenhuma delas e estava fora de questão não fazer vestibular, achou que teria que escolher na sorte, unidunitê, cada profissão num papel dentro de uma caixa, diz um número de um a trinta, até que um primo que namorava uma guria da psico contou que naquela faculdade estudava uma mulherada violenta, coisa de oitenta por cento, quase noventa, tudo mina top, tudo mina gata, que a hora do intervalo parecia um desfile, e que o nível de exigência não era dos mais altos, nada de três anos fazendo cursinho até ser aprovado, nada de cálculo um, dois e três, nada de noites viradas fazendo projetos, nenhum compêndio de leis e resoluções pra ser decorado, nada, que era bem de boa.

Foi por isso que Dante escolheu que seria lá, porque tinha muita mina gata e era muito de boa, coisa que não podia falar quando levantou a mão de repente, se esqueceu de dizer o próprio nome e gaguejou em voz baixa e um pouco trêmulo que se interessava por aquela área, que achava aquela uma área interessante e que esperava ter sucesso com aquela área e que era por isso que estava lá, e ficou com os olhos fixos no chão, torcendo pra que a próxima pessoa se apresentasse logo pra mudar o foco daquelas pessoas todas olhando pra ele, e não deu nem cinco segundos pra que um colega de altura mediana, cabelos cacheados, pretos, um bocado grandes e desgrenhados e barba rala levantasse a mão e dissesse oi, meu nome é João, e que tinha escolhido aquele curso porque Jim Morrison gostava de Psicologia, porque as experiências de Charles Baudelaire com o ópio deixavam ele muito curioso sobre os estados alterados de consciência, porque Aldous Huxley tinha mostrado que era preciso abrir as portas da percepção, porque assim como o poeta William Blake ele também queria encontrar a eternidade em um grão de areia e o céu numa flor selvagem, porque há algo pra além daquilo que a superfície dos comportamentos permite enxergar e ele pretendia entender aquilo tudo melhor, e imaginava que com isso poderia ajudar as pessoas a se encontrarem, e que tinha certeza que iria conhecer bastante gente legal nos cinco anos de formação, porque achava que Psicologia era um curso de gente legal, e que eram essas duas coisas que tinham trazido ele até ali, um curso legal e gente legal.

5.

Já na Nilo Peçanha, uns dez minutos depois de sair do shopping, Dante recordou que no dia seguinte estava sozinho no corredor esperando a aula começar quando João chegou e os dois se cumprimentaram rápido, e que cogitou sentar perto dele, mas sentiu que talvez fosse estranho pegar a mochila e levar pra outra mesa, que poderia pegar mal, vai que pensam que ele é bicha, essas coisas pegam, que não dava pra dar mole, que não queria sofrer bullying, e imaginou que nem teriam muito o que conversar, porque não gostava de ler, tinha amigos que não gostavam de ler, tinha pais que não gostavam de ler, porque só lia a parte de esportes do jornal, às vezes a parte policial e a coluna do Paulo Sant'Ana, porque só tinha lido os livros obrigatórios do vestibular, Graciliano Ramos, Clarice Lispector, Machado de Assis, Erico Verissimo, e olhe lá, que até tinha curtido a Ana Terra, o capitão Rodrigo, a cadela Baleia, mas sempre que dava apelava pra um resuminho aqui e outro acolá antes das provas, porque não era muito chegado em música, só uma eletronicazinha nas festinhas, um Bon Jovi, um Sublime, um Red Hot, nada muito além disso, tão diferente daqueles poetas e compositores todos que João tinha citado no dia anterior, e que era melhor comprar um rissole e uma Coca-Cola no bar antes da segunda aula começar em vez de se aproximar de João e perguntar o que ele estava ouvindo no walkman, que livro era aquele que estava lendo, onde morava, se tinha namorada, pra que time torcia, se jogava bola, se pegava onda, em que colégio tinha estudado, perguntas simples que ele escolheu não fazer.

6.
Era engraçado que mais de cinco anos depois ainda ficava envergonhado de recordar que na sexta-feira dessa mesma semana rolou a festa de encerramento do trote, festa tradicional em que o curso inteiro se reunia pra recepcionar os novatos com a cerveja paga pela grana arrecadada pelos calouros lambuzados de tinta nos semáforos em torno da faculdade, e que assim que chegou foi direto pro bar e comprou várias fichinhas de cerveja, e tomou uma, duas, três, quatro latinhas, uma atrás da outra pra tentar ficar um pouco mais à vontade no meio daquelas pessoas desconhecidas e estranhas com quem não tinha nem chegado perto de se enturmar, quieto nas aulas, sozinho nos intervalos, e viu os grupinhos se formarem, gente dançando, gente conversando, gente fechando baseados, até que

quase uma hora depois uma morena alta e de cabelos cacheados se aproximou no balcão do bar, deu oi, se apresentou e perguntou qual o nome dele e o que tinha achado do trote e das aulas. Dante sorriu meio sem jeito e respondeu que tudo era muito novo ainda, mas que dava pra ver que os professores eram muito bons, que a faculdade era ótima e que tinha curtido o trote, sim, que tinha achado muito criativo e muito divertido, tudo mentira, porque não tinha curtido nenhuma das aulas e tinha odiado todas aquelas tarefas ridículas, andar em fila pelo campus cantando musiquinhas, passar bala de boca em boca e colocar camisinhas em bananas, se apresentar e dizer se tinha namorada ou não, todas aquelas coisas que fez muito de má vontade todos os dias da semana.

Enquanto a pista bombava com os sambas-rock que a guria cantarolava de vez em quando, ela é minha menina, eu sou o menino dela, besta é tu, besta é tu, sente este samba quente que é muito legal, é súper pra frente, é bem genial, os dois conversavam em um canto do galpão, ela solta, engraçada, buscando mais cervejas pros dois, fazendo graça, falando que a seleção do vestibular tinha sido muito boa naquele ano, que a universidade estava de parabéns, que era daquilo mesmo que o corpo discente precisava pra que a faculdade mantivesse o renome, que eles pareciam o Eduardo e a Mônica da música, tem uma festa legal e a gente quer se divertir, festa estranha com gente esquisita, eu não tô legal, não aguento mais birita, Bandeira, Bauhaus, Godard, novela, futebol de botão, aquela coisa toda, e era mesmo, ele meio assustado, sem conseguir tomar iniciativa nenhuma, sem saber onde se enfiar caso levasse um fora, com medo de tomar um toco.

Na segunda vez que foi ao banheiro, quando um outro bicho encostou do lado dele no mictório e sussurrou que ele ia se criar, que aquela mina era tri gata, Dante disse que ela era linda mesmo e que estava jogando no contra-ataque, que tinha contratado o Celso Roth, que era só questão de tempo, que estava aguardando a deixa pra matar o jogo, e enquanto lavava as mãos, se olhou no espelho quebrado e pensou que ia ser outra chegada depois do constrangimento na apresentação do primeiro dia e de todo o deslocamento da primeira semana nas aulas e no trote, mas como não tinha jantado direito, pouco tempo depois sentiu o estômago embrulhar, disse pra guria que precisava ir ao banheiro mais uma vez, vomitou até as tripas e foi embora de táxi todo torto, sujo e fedorento, sem dar tchau pra ninguém.

7.

E despertou só no final da manhã seguinte, arrependidíssimo de não ter se alimentado direito, enjoado, com um bafo horrível e a cabeça explodindo, com uma ressaca moral terrível, imaginando que o curso inteiro tinha visto que ele tinha vomitado e ido embora todo errado, que não sabia beber, que era fraco, que era um guri de apê, aquela vergonha, aquela derrota total, que nunca iria se dar bem naquela faculdade, que nunca iria se adaptar, que nunca faria amigos, que era melhor pensar em outra coisa. Mas quando viu, tudo tão rápido, tudo tão inesperado, quase sem se dar conta, um trabalhinho em grupo aqui, um papo no intervalo acolá, um churrasco no finde, uma cervejinha depois da aula, uma carona, e já nem usava mais as calças jeans da Zara e da Levi's e as camisas polo da Lacoste, da Tommy Hilfiger e da Banana Republic que tinha comprado nos Estados Unidos, a Disney primeiro, a Califa no meio, Nova Iorque depois, as calças e as camisas que iam aos poucos ficando esquecidas no fundo do armário e eram substituídas pelas camisetas tie-dye pintadas em sábados inteiros amarrando com cordas as roupas brancas, mergulhando em baldes cheios de tinta e colocando pra secar no varal, pelas calças jeans rasgadas e pelo par de tênis Rainha preto de couro que usava na época do colégio só pra jogar futebol de salão e que agora usava todo santo dia, camisetas, jeans e tênis que eram um pouco o símbolo daquilo tudo que acontecia com ele quase por contágio, por um encantamento veloz, por uma abertura de vida que nunca tinha imaginado e que nem sabia bem explicar, mas que fez com que dois meses depois daquela festa já fosse parte daquela turma que tomava cerveja barata na rua de trás da faculdade, curtia música brasileira e ia pra Cidade Baixa, gente fumando maconha na rua, gente tocando violão sentada no meio-fio, gente bebendo cerveja nas mesas de calçada, gente bebendo vinho de garrafão no gargalo, aquelas coisas que achou muito legais mas que assustaram um pouco nas primeiras vezes, tudo meio perigoso, tudo meio sujo, tipo o pratão de polenta frita com queijo e o mix de calabresa e coração de galinha na chapa pra seis na promoção que o pessoal pediu e que ele teve que comer mesmo com um pouco de nojo, porque não queria que ninguém pensasse que era fresco, burguesinho, estômago de príncipe, arrotador de caviar, justo agora que estava enturmado e maravilhado com aquele outro mundo do qual tinha ficado distante a vida toda.

Dante lembrou que quando foi fazer xixi ficou parado na frente do mictório perguntando pra si mesmo onde estariam os amigos do colégio, que tinha estado com eles na semana anterior em um churrasco no mesmo condomínio nas Três Figueiras onde tantas vezes havia ido e sido muito feliz, lá onde deu o primeiro beijo, onde tomou o primeiro trago, onde queimou o braço porque estava podre de bêbado, quis jogar álcool na brasa e o fogo se alastrou, lá onde tinha vivido tantas coisas importantes, que nesse churrasco os guris debocharam das roupas meio velhas dele, da barbicha começando a aparecer, do cabelo começando a crescer, e perguntaram se ia aceitar a vida de classe média que a Psicologia poderia oferecer, justo ele que sempre teve tudo do bom e do melhor, que era importante que não esquecesse que o pai tinha aberto uma picada a facão, que tinha suado muito pra conquistar tudo que conquistou, que tinha vencido na vida mesmo com os impostos que o governo roubava, sendo obrigado a pagar décimo terceiro e férias pros funcionários que nem cumpriam direito as tarefas, funcionários que não rendiam, que faltavam, que engravidavam e ficavam de licença por um tempão, que toda hora estavam doentes, que mesmo com toda a tranqueira da legislação trabalhista brasileira o pai tinha tido sucesso e que isso não era pouca coisa, e que se Dante quisesse era só se emburacar na firma e seguir os passos dele que aos poucos subiria na hierarquia até o topo, ia ser rico, ter um monte de minas correndo atrás, apartamento, carro do ano todo ano, restaurantes de primeira, viagens pro exterior, mas que na Psicologia ia ser foda, e queriam saber se ele ia mesmo colocar tudo por água abaixo daquele jeito. Ele nem quis dar trela, achou aquilo fútil, chato, coisa de quem tem cabeça pequena, que aquilo tudo era tudo que não queria mais, aqueles caras estranhos, toscos, aquelas gurias tão gatas, tão perfumadas, tão arrumadas e tão sem graça, artificiais, todos quadradinhos, entrando em relacionamentos conservadores, monogâmicos, possessivos, esboços precoces de casais de meia-idade no auge da juventude, dos hormônios, do tesão, do colágeno, da força, da vida toda pela frente, e quando terminou de comer disse que precisava ir embora porque no dia seguinte tinha que acordar cedo pra estudar pra uma prova cascuda, deu um tchau geral de longe e partiu, e que era muito provável que eles estivessem na Padre Chagas, como de costume, a três quilômetros dali, a mil milhas dali, tudo tão perto, tudo tão longe.

E ficou impressionado porque nunca tinha percebido isso, que podia haver muitas cidades em uma só, muitas Porto Alegre em uma só, e imaginou a empregada doméstica que trabalhava na sua casa de segunda a sábado há mais de dez anos, que horas o despertador tocava na cabeceira dela pra que todos os dias às seis e meia em ponto já estivesse com a cozinha limpa e a mesa posta na casa dos patrões, como será que acordava nos dias de friaca, se tinha banho quente na casa dela, se era a gás, se era elétrico, se tinha estufa no banheiro, lençol térmico na cama, ar condicionado pro verão, um ventilador de teto que fosse, como era o quarto dela, a casa, os filhos, se o ônibus que ela pegava pra ir e voltar do trabalho ficava lotado, se ela ia de pé ou sentada, se a rua dela embarrava quando chovia, questões que nunca tinha se feito sobre a vida da empregada que de vez em quando, enquanto ele tomava café da manhã, contava coisas do bairro ao mesmo tempo que preparava os pastéis, o estrogonofe e o musse de chocolate que ele tanto gostava, histórias do campeonato de futebol, das brigas do tráfico e da polícia, do desfile de carnaval, e quando a escola que ela saía ganhava ela chegava feliz da vida, dizia Tinga, teu povo te ama, e perguntava se ele tinha visto os desfiles, e ele nunca tinha visto nada, e não dava muita bola, fazia só aham, aham.

    Voltou do banheiro pra mesa onde estavam os novos amigos impactado com isso, com a possibilidade de haver três cidades diferentes tão perto uma da outra, a Cidade Baixa, a Padre Chagas, a Restinga, eles, os colegas do colégio e a empregada, e que nunca tinha se dado conta disso, e quando Maria cutucou ele, perguntou se tava tudo bem, porque parecia que ele estava em outro lugar, e serviu mais cerveja, foi esse o papo que ele puxou, porque tinha tido um insight e queria saber se a galera já tinha percebido uma parada que ele tinha achado foda, e João respondeu que sim, que já tinha pensado nisso tudo, sim, que eram muitas cidades mesmo, muitas camadas, no espaço, no tempo, em tudo, que, por exemplo, a Cidade Baixa, onde eles estavam, aliás, já tinha sido território negro também, e que a Restinga tinha sido criada pra afastar os negros do Centro da cidade, que por isso é que ela ficava tão longe dali, e Dante disse que era verdade, que era óbvio, e que nunca tinha pensado nisso, e era como se o mundo fosse completamente diferente do que ele achava que era, como se a cidade fosse completamente diferente do que ele achava que era, como se ele também se tornasse outra pessoa muito diferente do que era, e se dar conta disso tudo era muito bom, e ficava muito feliz com isso, e queria pedir um brinde às transformações, transformações que fizeram com que quisesse ser um psicólogo artista, porque conforme aprendeu na matéria que mais gostou no primeiro semestre do curso, era esse, e não o exercício da norma, da moral e do controle, o papel de um profissional da Psicologia frente às demandas atuais do capitalismo neoliberal, e que depois daquilo tudo que tinha vivido naqueles cinco anos, era muito estranho receber o convite que havia recebido quarenta minutos antes de chegar em casa, se deitar no sofá da sala e dormir.

SANGUESSUGAS

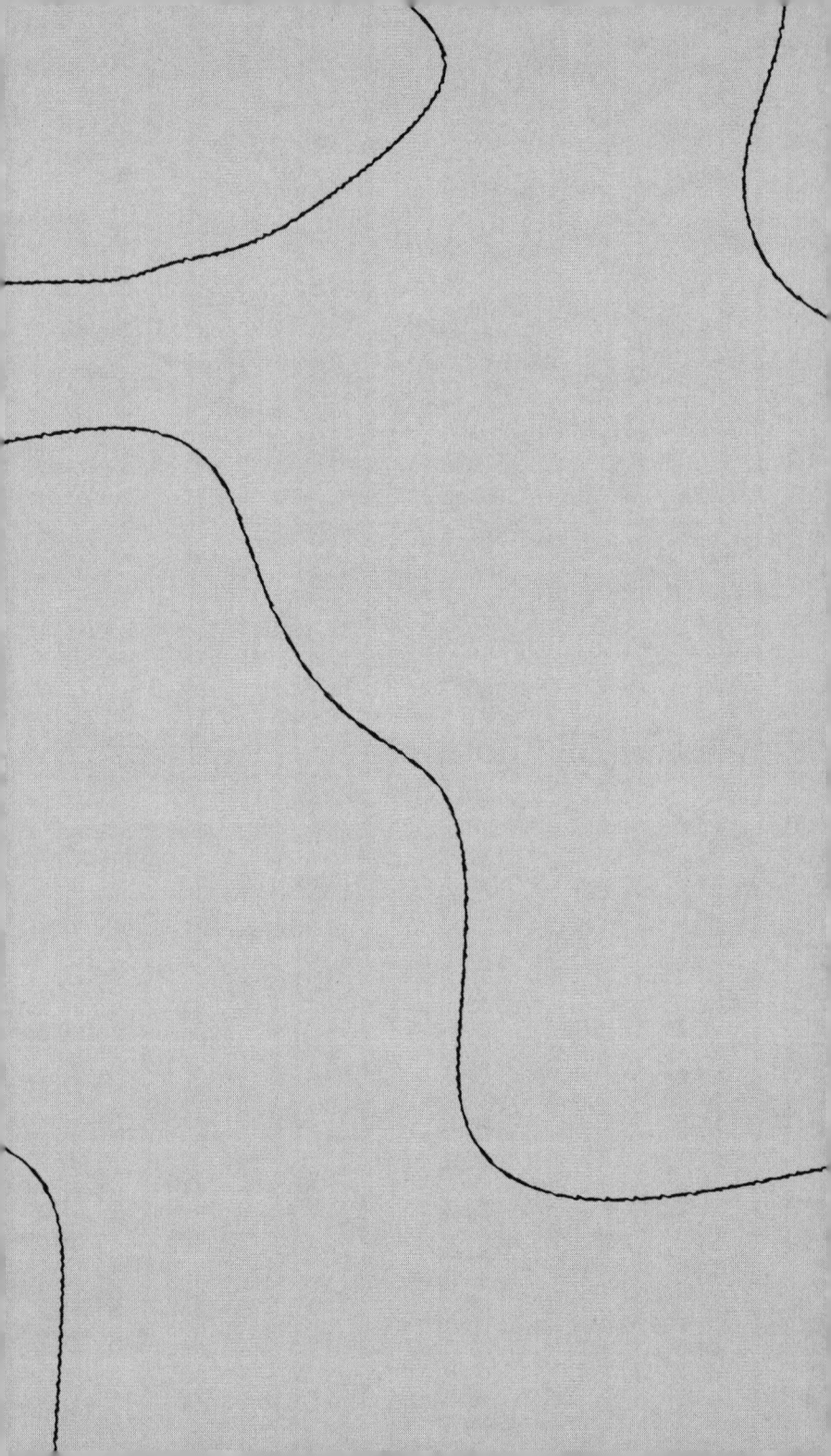

1.
João sempre foi encantado pelas histórias contadas pelos pais, a mãe que narrava com candura a crença firme e leve de que o amor tomaria conta do mundo tão logo se anunciasse a Era de Aquário, a Era de Aquário que inevitavelmente viria, que já estava vindo, que já estava ali pra quem quisesse ver, a mãe que ia aos Arquisambas, que ajudava a organizar um festival em Maquiné que imitava Woodstock, com O Terço e Tutti Frutti como estrelas, um festival em que choveu tanto quanto no americano, que também durou três dias, que também não teve brigas ou mortes, que também teve muita droga, LSD de verdade, ácido baiano, maconha da boa, muita música e muita alegria, o pai que contava com vigor a crença dura e guerreira de que a luta de classes levaria a um mundo de plena igualdade, um mundo sem patrões e sem empregados, sem guerra, sem contradições, sem as superficialidades do capital, um mundo sem milicos, um mundo que também viria já, que já estava vindo, que já estava ali, os dois se encontrando nas festas da Faculdade de Filosofia da Ufrgs, nos bailes da Reitoria, bebendo na Esquina Maldita, no Marius, no Alaska, no Copa 70, vivendo o Bom Fim do teatro, dos punks, do Ocidente, do Cine Baltimore, se apaixonando, casando e tendo um filho único e muito amado cujo nome era João porque João era John Lennon, João Goulart e João Cabral de Melo Neto, porque João era João Gilberto,

porque João era o Brasil que rebentava no começo dos anos 80, um Brasil que renasceria democrático, bonito, igualitário e popular como deveria ser, enorme, gigante, livre praquelas crianças que eram o seu futuro, um João que era efeito da paixão entre essas duas utopias, uma Era de Aquário comunista, implicada, musical, sensual e guerreira pra todos aqueles que nasceram meses antes do Barão Vermelho cantar Pro dia nascer feliz no Rock in Rio, com as bandeiras em verde e amarelo tremulando e o Cazuza transformando essa música num hino à democracia que ressurgia no país, agora vambora, estamos, meu bem, por um triz, nadando contra a corrente, só pra exercitar, que o dia nasça lindo pra todo mundo amanhã, um Brasil novo, uma rapaziada esperta, aquele discurso emocionante que os pais de João contavam que viram na televisão com o filho no colo e lágrimas nos olhos sentados no sofá da sala.

2.

Eram histórias animadas, engraçadas, bonitas, mas também histórias duras como aquela que o pai contou numa noite, um tanto irritado como costumava ficar depois de três doses de uísque nacional, meio sindicalista de mesa de jantar, que era a expressão debochada que João usava pra se referir a ele nessas ocasiões em que dava discursos bêbados em casa, e meio que do nada disse que aquele trabalho que eles estavam fazendo sobre maio de 68 era muito interessante, que a ideia era boa, importante e tudo o mais, que tinha sido mesmo um fato importante, mas queria saber se João, Maria e Dante sabiam que no final dos anos 60 também teve um show dos Rolling Stones na Califórnia em que uns motoqueiros barra-pesada chamados Hell's Angels eram os seguranças e esses caras mataram um guri negro a facadas no meio da multidão, e que aquilo tinha sido o fim de tudo, daquela coisa bonita, mas datada, do maio francês, dos hippies, das flores, do amor, de tudo, porque se era verdade que tinha tudo aquilo mesmo, os anos 60 e 70 foram também os anos de chumbo no Brasil, do assassinato do Edson Luiz, da passeata das mães, da marcha da família com Deus, da Primavera de Praga, do assassinato do Martin Luther King, da Guerra do Vietnã, do massacre de Tlatelolco, e que nada disso podia ficar de fora da conta quando se falava daquelas décadas, e parecia que eles não sabiam ou esqueciam daquilo tudo.

Porque as coisas não eram fáceis ou somente bonitas naquela época, que tinha inclusive vivido de perto algumas delas, que, por exemplo, estava no Teatro Leopoldina naquela noite em que os atores de Roda Viva foram sequestrados pelo Comando de Caça aos Comunistas e levados pro Parque Saint-Hilaire, em Viamão, intimidados e obrigados a deixar Porto Alegre na manhã seguinte, que como o Belchior já tinha dado a letra, ironizando o velho compositor baiano de quem eles tanto gostavam, o sol não é tão bonito pra quem vem do norte e vai viver na rua, que aquele sonho não existia mais, que o próprio Gil, o Capinam e o Torquato já tinham feito o enterro do tropicalismo na televisão, que era preciso inventar outra coisa, que nem o rock nem o amor livre nem o comunismo faziam mais sentido, que o Gilberto Gil e o John Lennon já haviam composto boas canções e dado declarações sobre isso, quem não dormiu no sleeping bag nem sequer sonhou, que foi pesado o sono pra quem não sonhou, que eles deviam conhecer aquela música, que eles tinham que sair dessa, que não dava mais pra ficar requentando utopia, porque era impossível sonhar um mesmo sonho duas vezes, mesmo que a gente se esforçasse muito isso era impossível, e que aquele sonho tinha acabado e só não percebia quem não queria perceber, que a glasnost, a perestroika, o Gorbatchev, a queda do Muro de Berlim, essas coisas eram a prova do fim, era só ver a história, era só estudar um pouco, que achava simpático o engajamento deles, que entre ser de esquerda ou de direita é óbvio que preferia que fossem de esquerda, mas que achava que aquela era uma geração que não arriscava o corpo pra mudar o mundo, porque o que queriam mesmo era tomar cerveja, fumar baseado e conversar, tocar violão, fazer sexo, essas coisas que são todas boas, todas maravilhosas, que a juventude tem que fazer isso mesmo, mas que isso não era tudo.

3.

Porque ele viu ressoarem muito próximos os ecos da revolução cubana, a revolução nacionalista de 1959, absurdamente heroica, aquela meia dúzia de náufragos libertando a ilha do jugo do imperialismo americano, e esses ecos fizeram crer que o sonho poderia se tornar realidade aqui também, e foi por isso que ele se filiou ao Partido Comunista, um partido que na época era clandestino, e foi também por isso que participou de várias atividades do CPC da UNE, shows, peças, um monte de coisas, e que queria se vincular ao Programa Nacional de Alfabetização pra ensinar adultos a ler e a escrever, naquela metodologia que o Paulo Freire tinha criado em Pernambuco e que depois com o Jango tinha virado uma política nacional, e achou que iam fazer um país melhor, com as reformas de base, como a reforma agrária, com um monte de coisas, mas esse sonho foi trucidado pelo golpe de 1964.

Depois de 1968, com o AI-5, quando o bicho pegou de verdade, ele forneceu apoio pra vários companheiros que estavam na clandestinidade, e uma denúncia anônima que ele nunca soube de onde veio fez com que sua casa no Menino Deus fosse monitorada sem que ele sequer desconfiasse, até que no dia 26 de agosto de 1970, essa data inesquecível, dois meses depois da seleção brasileira ser tricampeã mundial de futebol com uma vitória de 4 a 1 sobre a Itália e o país inteiro ficar alienado cantando noventa milhões em ação, pra frente, Brasil, salve a seleção, os militares invadiram a casa dele, apreenderam dezenas de livros e alguns documentos, e levaram ele pro DOPS, ali na Santo Antônio, muito perto de onde estavam agora.

E quando entrou lá, a primeira coisa que viu foi o delegado intimidando aos berros uma companheira também recém-chegada, fale, sua puta comunista, com quantos você trepou, essas palavras que ele nunca iria esquecer, que o cara dizia com raiva, cuspindo, e nesse momento ele foi levado pra outra sala, foi interrogado, apanhou bastante e foi liberado, e não viu mais a amiga, mas anos depois ela contou que foi encapuzada, algemada e levada pra um quartel do exército onde ficou detida por três meses, incomunicável, sem um único banho de sol ou qualquer exercício físico, e nesse quartel ficou numa cela em que um dia entrou um homem que se identificou como médico, mediu a pressão dela e perguntou se ela era cardíaca, e como a pressão estava ok e ela não tinha problema de coração, foi levada pra sala de torturas, a famosa sala roxa, e teve as roupas arrancadas, o corpo molhado, fios colocados no bico dos seios, na vagina, na boca e na orelha e recebeu choques elétricos, e depois foi levada de volta à cela, conduzida por um cabo do exército que balançava o molho de chaves e cantava uma canção que ela jamais esqueceria, receba as flores que eu lhe dou, em cada flor um beijo meu, são flores lindas que lhe dou, rosas vermelhas com amor, amor que por você nasceu.

E esses caras queriam que ela contasse coisas sobre o sequestro de um embaixador no Rio de Janeiro, coisas que ela não sabia, que não fazia a menor ideia, que não tinha como saber, mas eles achavam que ela estava escondendo alguma informação, e por isso despiram ela de novo e amarraram numa cadeira, e colocaram um filhote de jacaré sobre o corpo dela, e o filhote de jacaré percorreu o corpo dela, e muitos anos depois ela ainda lembrava bem da sensação da pele gelada e pegajosa do bicho, que aquilo foi um horror, e que numa outra madrugada retiraram ela da cela e levaram pro pátio amarrada, algemada e encapuzada, e gritaram que iriam matar ela, e ela acreditou, e aterrorizada fez xixi nas calças, e os milicos riram e levaram ela de volta à cela, e aqueles três meses foram um inferno, até o dia que largaram ela numa praça sem nada, sem identidade, sem dinheiro, e ela pegou um táxi e conseguiu ir pra casa da mãe na Azenha.

João, Maria e Dante ouviram aquilo tudo calados, assustados, atentos à história da geração anterior à deles, e o pai de João deixava passar uma certa raiva quando contava, a raiva que vinha do uísque, mas que vinha também de outros lugares, e dizia mais uma vez que eles não arriscavam o corpo, que não se arriscavam nada, que não saíam de zona de conforto nenhuma, que viviam um momento ótimo, que tudo estava bem, e que era preciso coragem pra mudar o que não estava tão bem assim e nadar contra a corrente, que não era função dele, que ele já era coroa e estava mais pra lá do que pra cá, que não tinha que dizer que coisas eram essas, que eles é que deveriam saber, e João precisou concordar com o pai, que aquela geração não estava disposta a entregar o corpo à luta, que era meio apática, que não saía da zona de conforto, mas achava também que era a hora deles, de pôr o corpo pra jogo, que era preciso honrar o destemor que a geração anterior tinha tido pra que eles pudessem estar naquele momento fumando, bebendo, tocando violão, que de fato era preciso uma radicalidade muito maior do que aquela que até então ele e os amigos tinham tido coragem de ter, e que eles com certeza teriam, não tinha a menor dúvida disso.

4.

Alguns restos destas histórias permaneciam no apartamento, o sofá, a biblioteca, os armários, as quatro fitas VHS que a mãe tinha deixado lado a lado na estante da sala, com as gravações do aniversário de sete anos de João, de trechos de uma viagem de férias que os três fizeram à Bahia quando João tinha dez anos, da íntegra do jogo de volta da final da Libertadores entre Grêmio e Atlético Nacional e do filme A sociedade dos poetas mortos, os livros, Eram os deuses astronautas?, Manual do guerrilheiro urbano, Morte e vida severina, O ponto de mutação, A erva do diabo, Vidas secas, os discos, o Pepper's, o Construção, o Tea for the Tillerman, o Araçá azul, o Fatal, o Pássaro proibido, o Realce, o Gonzaguinha da vida, os pôsteres do Trotsky, do Marighella e do

Grateful Dead amarelados lado a lado na parede, as fotos dos pais quando jovens, em um retrato em branco e preto em que apareciam grávidos, lindos e sorridentes com uma cachoeira ao fundo, a fotografia daquela barriga que era o Brasil numa distensão lenta, gradual e segura, tudo aquilo que tinham deixado de presente quando João estava no quarto semestre da faculdade e decidiram morar em Ivoti, uma cidade de vinte mil habitantes no interior do Rio Grande do Sul, distante cinquenta quilômetros de Porto Alegre, à beira da serra, com clima ameno e pouca confusão, porque já estavam velhos e queriam outra qualidade de vida, não ter medo de assalto, não parar em engarrafamento, não ter que gastar toda a grana da aposentadoria com a fortuna cobrada pelo Zaffari, e deixaram o imóvel de dois quartos e sacada no coração do Bom Fim, no quarto andar de um prédio na Felipe Camarão quase esquina com a Vasco da Gama, frente, perfeito pra um jovem estudante universitário começar a vida adulta, gerenciar contas, cozinhar, chamar encanador, fazer compras, arrumar a casa e tudo mais que João fazia com gosto e cuidado.

5.
Uma das coisas que fazia com mais gosto e cuidado era namorar Maria, porque um pouco depois que Dante foi embora da festa do trote, no final da primeira semana de aula, João convidou ela pra pegarem uma cerveja e beberem no estacionamento da festa, e depois de comprarem cada um uma latinha, fazerem um brinde e sorrirem meio sem jeito, ele quebrou o gelo e comentou que estava achando a faculdade bem diferente do colégio, porque agora era a profissão que eles iam levar pra

vida toda, uma profissão que tinham escolhido, que a faculdade era uma coisa menos genérica, menos ampla, sem matérias chatas tipo química, matemática e física, e Maria concordou, e disse que não aguentava mais aquelas matérias de exatas, que não tinha nascido praquilo, que sempre passava raspando, que quase pegava recuperação, que achava muito chato, que não conseguia entender muito bem, que não se esforçava muito porque não curtia, e quis saber de onde ele tinha tirado aquelas roupas tão legais, e ele respondeu que a camisa tinha sido comprada num brechó e a calça boca de sino e as sandálias de couro eram herdadas do pai, e ela adorou aquilo, brechó, roupas de herança, aquilo era muito legal, e disse que ele passava uma coisa boa, que parecia um pouco a galera com que estava acostumada, os colegas do Padre Rambo, o colégio público onde estudou desde que era bem novinha, ali no Partenon, na Bento Gonçalves, sabe, que tinha a impressão de que só ela tinha estudado em colégio público na turma toda, e que morava com os pais em um apartamento pequeno de dois quartos atrás da faculdade, que a mãe era secretária no escritório de uns advogados na Bela Vista e o pai era recepcionista de um hotel de luxo no Centro, que não tinha nenhuma vergonha de dizer que estavam pagando com a ajuda de uma bolsa a mensalidade, mas parecia que ninguém mais era bolsista naquela turma, que se sentiu um pouco acanhada quando chegou e se viu no meio daquele bando de patricinhas e mauricinhos, todo mundo de carro, roupa nova, tênis importado, sei lá, muito diferente do que tô acostumada, sabe?, mas que se sentiu tri à vontade com ele, e ele disse que ficava feliz, que também tinha gostado muito dela, que ela tinha cara de inteligente, cara de ser muito gente boa, que era muito bom curtir alguém assim de primeira, que era um ótimo sinal, e que como as cervejas tinham acabado achava que eles podiam entrar, pegar mais uma e ir pra pista, que o som tava tri bom, e ela respondeu que achava ótimo, e dançaram três músicas do Chico Buarque na sequência, Apesar de você, Vai passar e Jorge Maravilha, os braços e as mãos roçando de leve.

Depois dessa sequência ele perguntou se ela não queria voltar pro estacionamento, que aquela lua cheia tava foda, e ela disse que sim, e os dois se deram as mãos e um beijo longo e caprichado, e depois mais outro, e outro, e voltaram pra pista e se beijaram mais, e dançaram mais, e conversaram mais, e se beijaram mais, até quase de manhã, quando o som acabou, as luzes se acenderam e eles ajudaram os veteranos a arrumar o que tinha que ser arrumado, as caixas de som do diretório acadêmico, as poucas cervejas que sobraram, a decoração de papel crepom, as luzes, tudo encaixado no porta-malas de uma caminhonete, antes de pegarem um táxi juntos e se recostarem abraçados e cansados no banco de trás do carro e verem o sol nascer juntos pela primeira vez, e esse foi o começo de um namoro firme e apaixonado, que João disse um milhão de vezes que era assim que tinha que ser a relação com a futura mãe dos seus filhos, tinha certeza, certeza absoluta, mesmo que fosse seu primeiro namoro, porque a mina era incrível, inteligente, linda, corajosa, e era com ela que iria construir um amor que não era um amor qualquer, um amor que sabe que amar é querer o outro mais forte e mais livre, mais e mais livre, um amor revolucionário, porque eram um casal que acreditava na junção entre o amor e a liberdade, entre a paixão e a liberdade, entre a liberdade e a liberdade, e era isso que fariam pra todo o sempre.

6.

E foi por isso que numa noite de sexta-feira que começou no Pinguim ao cair da tarde, se estendeu para a Padoka, depois pro Adriano, e lá pelas cinco da madruga, depois da saideira no Van Gogh, doze horas seguidas de trago, João, Maria e mais duas colegas da faculdade foram parar no apartamento, e beberam mais uma cervejinha que acharam na geladeira, e se deram uns beijinhos inocentes, e rolaram umas mãos bobas, e levaram o colchão pra sala, arredaram o sofá pra um canto, e as roupas foram pro chão, e fizeram uma surubinha inesperada até o meio da manhã, quando capotaram exaustos, quatro corpos em paralelo, bêbados, apertados e satisfeitos, corpos amigos, corpos de quem concorda em quase tudo na vida, Maria repousando a cabeça no ombro de João, o seu João, o seu namorado, o seu amor, com quem queria viver mais e mais experiências libertadoras como aquela, colocar o corpo pra jogo, experiências que não era qualquer casal que tinha, e que eles teriam cada vez mais, com toda a liberdade que aquele amor inventava.

E no começo da tarde seguinte despertaram devagar, nus, sem grilos, carinhosos, e tomaram banho, e prepararam café preto, pão com manteiga e mamão, tudo dividido entre os quatro que curavam a ressaca conversando sobre o exagero da cerveja, o velho garçom do Van Gogh, a cachaça do Adriano, suruba, heterossexualidade, homossexualidade, bissexualidade, a surpresa e a delícia da noite anterior, e ficaram assim até o fim da tarde, conversando, dormitando, ouvindo música, até que as duas outras gurias foram embora, beijinho no rosto, tchau, beijo, tchau, foi ótimo, foi maravilhoso, até mais, e João e Maria transaram mais uma vez, carinhosos, amorosos, felizes de serem o casal que eram, colocando ao menos um pouquinho o corpo pra jogo.

7.
Também por isso, no fim da tarde, quando se encontraram no bar do Rossi, na Lima e Silva, e ouviu Dante contar o que tinha rolado, o convite, o almoço, a proposta, tudo, e que não sabia muito bem o que fazer, João deu uma risada, perguntou como assim não sabe, cara?, e disse que aquela era uma das maiores piadas que já tinha ouvido, que aquela proposta era a cara daqueles playboys que se achavam mais espertos do que todo mundo, que sempre vinham com o mesmo papinho, que achavam que podiam enganar todo mundo, que era óbvio que queriam usar Dante pra ganhar grana, que eram sanguessugas que só sabiam sugar, que aquela ladainha de mundo melhor, impacto positivo na cadeia, mercado, que aquilo tudo era só conversa pra boi dormir, que não estava acreditando que ele não soubesse muito bem o que fazer, que era óbvio o que tinha que fazer, que tinha que dizer que não e deu, e Dante olhou pra baixo, tomou um gole da cerveja, sorriu meio constrangido e disse pois é, cara, não sei.

Com o tom de voz um pouco mais alto, João perguntou se Dante estava com algum tipo de amnésia, com algum tipo de lapso de memória, se tinha tomado alguma droga muito forte, porque só assim pra esquecer tão rápido de quando eles dois e Maria passaram uma tarde inteira comendo bolo de maconha e assistindo as fitas do festival de Woodstock, se não lembrava mais daquele barro, daquela farra, daquelas cores, se tinha esquecido que eles três diziam que também queriam um mundo assim, com gente assim, jovem, alegre, solta, talentosa, chapada, rebelde, que também queriam um mundo como aquele sonho lindo que nunca iria acabar e que era o sonho deles também.

 E Dante respondeu que era óbvio que lembrava de tudo aquilo, do bolo, da chapadeira, desses corpos que se explodiram aos vinte e sete, que não duraram muito mais tempo depois daquelas cenas todas que eles assistiram, a expressão do mais puro suco daquela época, um excesso que jamais caberia no corpo, a radicalidade despudorada, corajosa, arriscada e sem nenhum medo da morte, do Jimi Hendrix, da Janis Joplin, do Ravi Shankar, da guitarra elétrica, da voz, do orientalismo, do sexo, das drogas e do rock and roll, da Joan Baez que a Maria tanto curtia, da docilidade, da coragem, da presença, da encarnação da canção de protesto que era aquela mulher sorridente, com os cabelos curtos e uma bata azul cantando We shall overcome e Joe Hill com um violão folk nos braços, de todos aqueles malucos, Santana, Grateful Dead, Creedence Clearwater Revival, The Who, Jefferson Airplane, Joe Cocker, Crosby, Stills, Nash and Young, sim, sim, é óbvio que lembrava de tudo, como não?, é impossível esquecer uma coisa dessas, cara.

 E João disse que achava ótimo que ele ainda lembrasse, que tinha ficado assustado, que achou que o amigo tinha surtado, tinha batido a cabeça, tinha sofrido uma lobotomia, eletrochoque, qualquer coisa assim, e perguntou se ele também lembrava das edições do Fórum Social Mundial, que do primeiro é claro que não ia lembrar, porque estava na praia de Atlântida com os pais, surfando, comendo crepes de doce de leite no Centrinho, indo no buffet de sorvete na Gelf's e curtindo um clima família, que João sabia muito bem que tinha tentado convencer ele a ficar mas que não tinha rolado, mas quando ele ouviu tudo o que tinha acontecido ali, aquela parada que tinha entrado pra história, gente de tudo que é canto do mundo acreditando que um outro mundo era possível, o acampamento no Parque da Harmonia acostumado a receber os gaudérios, a carne, a fumaça e a dança da chula na Semana Farroupilha virado numa farra da esquerda, uma efervescência só, o cais do porto lindo demais, gente querendo se encontrar, dançar, conversar, fazer e acontecer, quando ouviu que o Bové tinha quebrado o McDonald's e atacado a Monsanto e todos os alimentos transgênicos, que o Eduardo Galeano, com o perdão da poesia, tinha arranhado as veias cada vez mais abertas da América Latina no auditório estourando de gente, que teve muita cachaça com mel, que teve muita roda de viola, Morena Tropicana, No woman, no cry, Exaltação, que teve acampamento, um monte de debates, mil ideias pra mudar o estado das coisas, as calamidades do planeta, a vida desgastada, a miséria, pra resgatar uma vida comunal, alegre e justa, uma vida melhor, uma vida para todos, Dante tinha ficado muito arrependido de ter perdido aquilo tudo, e que no ano seguinte não foi pra Atlântida surfar, comer crepe, sorvete e curtir um clima família, que foi com boa parte da turma todos os dias ao evento, dia e noite, com barraca armada e tudo, e que não ficou com nenhum remorso dos dias que passou em Porto Alegre, no centro do mundo contra Davos, contra os abusos do poder, do patronato, do machismo, dos Estados Unidos, do Estado de Israel, do Fundo Monetário Internacional, dos bancos e dos banqueiros, e com cara e tom de deboche falou que iria ficar muito preocupado se ele não lembrasse, mas tinha certeza que ele lembrava que eles se juntaram à organização do evento e montaram uma tenda de saúde no acampamento, com acupuntura, shiatsu, esquizoanálise, somaterapia e o diabo a quatro, que diziam que a saúde não era o que o capital ensinava, que a saúde não era um corpo dócil e apto à produção, que a saúde era a rede, era o SUS, era o corpo potente e alegre e um monte de outras coisas mais, que distribuíram camisinhas, que atenderam jovens em surto, que aprenderam em ato a praticar a psicologia com que queriam inventar o mundo, e fizeram festa, muita festa, e curtiram Fito Paez, Hermeto Pascoal, O Rappa e tudo o mais que não parava de acontecer naqueles seis dias quentes do começo de fevereiro que começaram com a marcha de abertura que atravessou o Centro da cidade, do Mercado Público à beira do rio Guaíba, que eles dois e a galera levaram uma faixa feita à mão que dizia Todo apoio à Palestina, e tomaram duas garrafas de cachaça mineira compradas no Mercado Público, que viram os shows do Manu Chao, do Gilberto Gil, do Buena Vista, e que com certeza lembrava que um ano depois estavam lá de novo, na terceira edição do Fórum, que o governo do estado já não estava mais sob a administração do PT e que a Polícia Militar baixou o cacete nos participantes, que teve até um bando de gente que correu pelada e foi presa por atentado ao pudor, que teve muito assalto, que todo mundo comentava que isso só podia ser um acordo da polícia com a galera que roubava, que a polícia e o novo governador queriam mais é que aquela reunião da esquerda acabasse, desse errado, fosse embora de Porto Alegre, fosse pra puta que o pariu, enfim, qualquer coisa que não o sucesso das duas outras edições, e que devia lembrar também que eles comentaram que parecia que alguma coisa começava a acabar ali, e que eles iriam fazer de tudo pra que não acabasse, e Dante mais uma vez disse que sim, que lembrava de tudo isso, sim, é claro que sim, e de um jeito meio dramático, falando mais alto e mexendo muito as mãos, João disse então, velho, então, brother, que dúvida que tu tem, que porra de dúvida que tu tem?

Me avisa quando já puder parar, tá, porque se deixar eu fico aqui até amanhã te dando mais exemplos, mas tu não foi ver Edukators comigo no cinema?, tu não aprendeu que todo coração é uma célula revolucionária, tu não te ligou que os dias de fartura dos abonados estão contados?, tu não saiu da Casa de Cultura Mario Quintana cantarolando The real sky e Hallelujah?, e tu também não cantou o mais alto que pôde no Opinião lotado eu que já não quero mais ser um vencedor, levo a vida devagar pra não faltar amor?, e a gente não pegou juntos um ônibus universitário fretado caindo aos pedaços e encarou vários dias de viagem até Aracaju pra participar do Encontro Nacional dos Estudantes de Psicologia, e a gente não debateu a função social da psicologia brasileira na atualidade, e a gente não fumou umas velas descomunais no Encontro Nacional dos Estudantes Maconheiros de Psicologia, e a gente não bebeu até altas nos bares ao redor do campus, não defendeu as políticas públicas, e não teve um piriri desgraçado depois de comer um almoço estragado, e não curtimos festas todas as noites, tu não lembra daquela em que os guris iam vestidos de mulher e as gurias iam vestidas de homem, e não jogamos futebol, e não conhecemos jovens do Brasil inteiro, e não nos achamos importantes por votar na assembleia final do evento, e não voltamos pro

Rio Grande do Sul exaustos e felizes, contando pra todo mundo como aquela experiência tinha sido maravilhosa e fundamental, como era necessário que qualquer pessoa que quisesse o diploma de psicólogo deveria passar ao menos uma vez por aquilo, como aquilo tinha que acontecer mais vezes, que não podíamos ficar restritos ao próprio círculo, ao próprio umbigo, ao mundinho de Porto Alegre, que era preciso expandir as fronteiras, conhecer mais gente, viver a vida, enfim?, e Dante tomou mais um gole de cerveja e, meio envergonhado, concordou com a cabeça.

Tô quase fechando, viu?, mas é que não dá, meu, não dá mesmo pra tu ficar em dúvida depois da gente se arrepiar com o Lula nos comícios do Largo da Epatur, com aqueles discursos em que ele dizia que tinha chegado a hora do Brasil ser um país de todos, um país sem miséria, um país de fome zero, um país sem ladrões, sem corrupção, mais forte, menos desigual, não dá pra ficar em dúvida depois de cantar que não dá pra parar um rio quando ele corre pro mar, não dá pra calar um Brasil quando ele quer cantar, é só você querer que amanhã assim será, bote fé e diga Lula, bote fé e diga Lula, eu quero Lula, não dá pra ficar em dúvida depois de ir pra Cidade Baixa, nós e uma multidão pra comemorar o primeiro presidente operário do país e de varar a noite acreditando que era a hora daquela geração, que a gente ia fazer o Brasil melhor junto com aquele torneiro mecânico e com toda a nação que por quinhentos anos viveu sufocada pelos oligarcas exploradores e pela mídia elitista e manipuladora, porque ele era a voz inegável do povo, era a voz abafada do Nordeste, era a voz sofrida dos que nunca tiveram voz, não acha?, e Dante disse que sim mais uma vez.

E por acaso a gente não chegou junto à conclusão que aquilo era raro, que aquilo não acontecia com todo mundo, que aquilo era uma baita duma oportunidade, porque tinha gente que vivia a juventude sob fascismo, sob guerra, sob ditadura, e a gente vivia a juventude quando o futuro se abria de novo pro país, tantos sonhos, tantas promessas, tantas reparações, e que aquilo era lindo, e que aquilo era a vida, e que aquela era a nossa hora, que aquela era uma chance que a história nos dava, cara?, e Dante disse pela última vez que sim, que lembrava de tudo aquilo, que não tinha como esquecer, e João disse cara, olha quanta coisa, e isso tudo foi ontem, tá ligado?, ontem, que já tinham feito muita coisa e que iam fazer muito mais, que tinham se prometido que construir um mundo melhor era a tarefa deles assim que saíssem com o canudo na mão daquele auditório lotado da formatura, e que aquilo seguia valendo, porque tinha saído de lá acreditando de verdade na própria geração, que não estava blefando, que não estava brincando, e que uma empresa é sempre uma empresa, uma empresa só quer lucrar, e lucrar é justamente o oposto de um mundo melhor, uma empresa é justamente o oposto de tudo aquilo que eles tinham vivido, e que achava que Dante deveria só enviar um e-mail perguntando qual era o peixe que eles estavam vendendo por trás do peixe que estavam vendendo e deu pra bola, porque aqueles playboys desgraçados não mereciam muito mais do que isso.

8.
O pai de Dante esperou o filho contar tudo o que queria contar antes de abrir um sorriso discreto, servir

um pouco mais do vinho tinto no cálice bojudo de cristal que usava todas as noites e dizer que uma das poucas certezas que tinha na vida é que a família e a amizade são as coisas mais valiosas que temos, que os amigos de infância são como pérolas que precisamos guardar com carinho num estojo muito protegido, que são um porto seguro pra onde sempre podemos voltar, que por isso tudo ficava muito feliz que o reencontro com os guris tivesse ocorrido, e que se fosse só isso já teria valido a pena, mas que não era só isso, que era muito mais do que isso, que nunca escondeu de ninguém que achava que aquela faculdade não ia dar em nada, que achava importante ter um diploma, sim, com certeza, que um diploma abria muitas portas e não era possível deixar de lado isso, mas que o filho tinha perdido tempo com aquele achismo esotérico, com aquela filosofia barata, que quanto antes deixasse aquelas frescuras de lado mais rápido iria trabalhar de verdade, ganhar grana, quem sabe tocar junto os negócios da família, conquistados à custa de muito suor dele e de tantos antepassados, sangue do nosso sangue, gente que atravessou o Oceano Atlântico com uma mão na frente e outra atrás pra se estabelecer no Brasil, tataravós, bisavós, avós, os pais, todo mundo que tinha batalhado e suado muito pra que a família tivesse as condições de vida que tinha hoje, cobertura na Bela Vista, casa na praia, casa na serra, viagens, tudo mais, e que estava sentindo que não iria conseguir durar muito mais naquela batida, que sim, que achava engraçado quando o filho chamava ele de uomo fato da sé, que era mesmo um self-made man italiano, um grande empresário do ramo dos calçados que galgou o sucesso degrau a degrau e agora com quase sessenta anos podia dizer que era rico e que tinha tudo o que queria, mas que já estava com a carcaça cansada, que não tinha mais o mesmo pique de antes, que não sabia quanto tempo mais ia aguentar sendo aquele trabalhador incansável com despertador fixado em quinze pras seis da manhã de segunda a segunda, que sentia que cada vez mais precisavam de sangue novo na fábrica, de sangue das novas gerações, que sonhava que a fábrica durasse muito mais tempo do que a vida dele e que permanecesse na família, e que pra isso era fundamental que o filho assumisse as responsabilidades daquela herança que não era só financeira e patrimonial, daquela herança que era aquilo pelo qual ele havia batalhado desde jovem, daquela herança que era mais afetiva do que monetária, e que mesmo achando e querendo tudo isso nunca tinha imposto nada e não seria agora que mudaria sua postura como pai, mas que não podia deixar de opinar que aquele convite era uma ótima oportunidade de trabalho e que aconselhava com todo o carinho que ele avaliasse a proposta dos rapazes com calma, sem atropelos, sem pressa e sem preconceitos, porque era uma empresa, ok, ok, era uma empresa, mas era também uma oportunidade pro filho fazer um uso mais operativo das coisas que curtia, e que unir o útil ao agradável era o melhor dos mundos, que muita gente daria um dedo por isso, que muita gente vivia triste porque só tinha um deles, ou nenhum, e que não era recomendável perder uma chance como essa que tinha batido à porta sem dar aviso, e que se desse certo, se ele gostasse, se ele se desse bem, quem sabe não poderia ser um primeiro passo para num futuro não muito distante assumir responsabilidades maiores que eram o sonho de qualquer pai.

9.

A mãe de Dante ouviu com atenção as palavras do marido, e antes de se levantar pra buscar na geladeira os potes de sagu e de creme que a empregada havia feito mais cedo, falou que apoiaria qualquer decisão que o filho tomasse, que sempre estaria do lado dele pra tudo que precisasse, que ele sabia muito bem disso, que sempre tinha sido assim e sempre seria assim, que essa era uma posição pessoal dela, que essa era uma posição deles como casal, que essa era uma posição deles como pais, mas que achava que ninguém precisava ficar preso às ideologias da faculdade, porque não existem verdades eternas, porque as verdades são temporais, que também tinha se encantado com muita coisa na juventude, que a juventude era assim mesmo, sonhos, encantamentos, utopias, mas que aos poucos pôde perceber que eram coisas bonitas e importantes de se acreditar, sim, com certeza eram, que jamais desvalorizaria aquilo tudo, mas que à medida que o tempo passa a gente amadurece, casa, cria família e a vida nos ensina outras lições e outros valores, e que isso não é ruim, pelo contrário, é muito bom, que é importante que o tempo passe e nos faça diferentes, que é ótimo que a juventude não dure pra sempre, que é ótimo que nada dure pra sempre, e que como já tinha vivido coisas muito parecidas é claro que tinha sua opinião sobre tudo aquilo, sobre a profissão, sobre o convite, sobre os guris, que se fosse preciso sempre estaria à disposição para conversar, mas que não queria dizer o que o filho tinha que fazer, que iria guardar a opinião pra ela, que tudo o que queria dizer é que era preciso fazer aquilo que o coração mandava, que tinha muita confiança nele e que tinha certeza absoluta que o filho saberia melhor do que ninguém que decisão tomar.

SINUCA

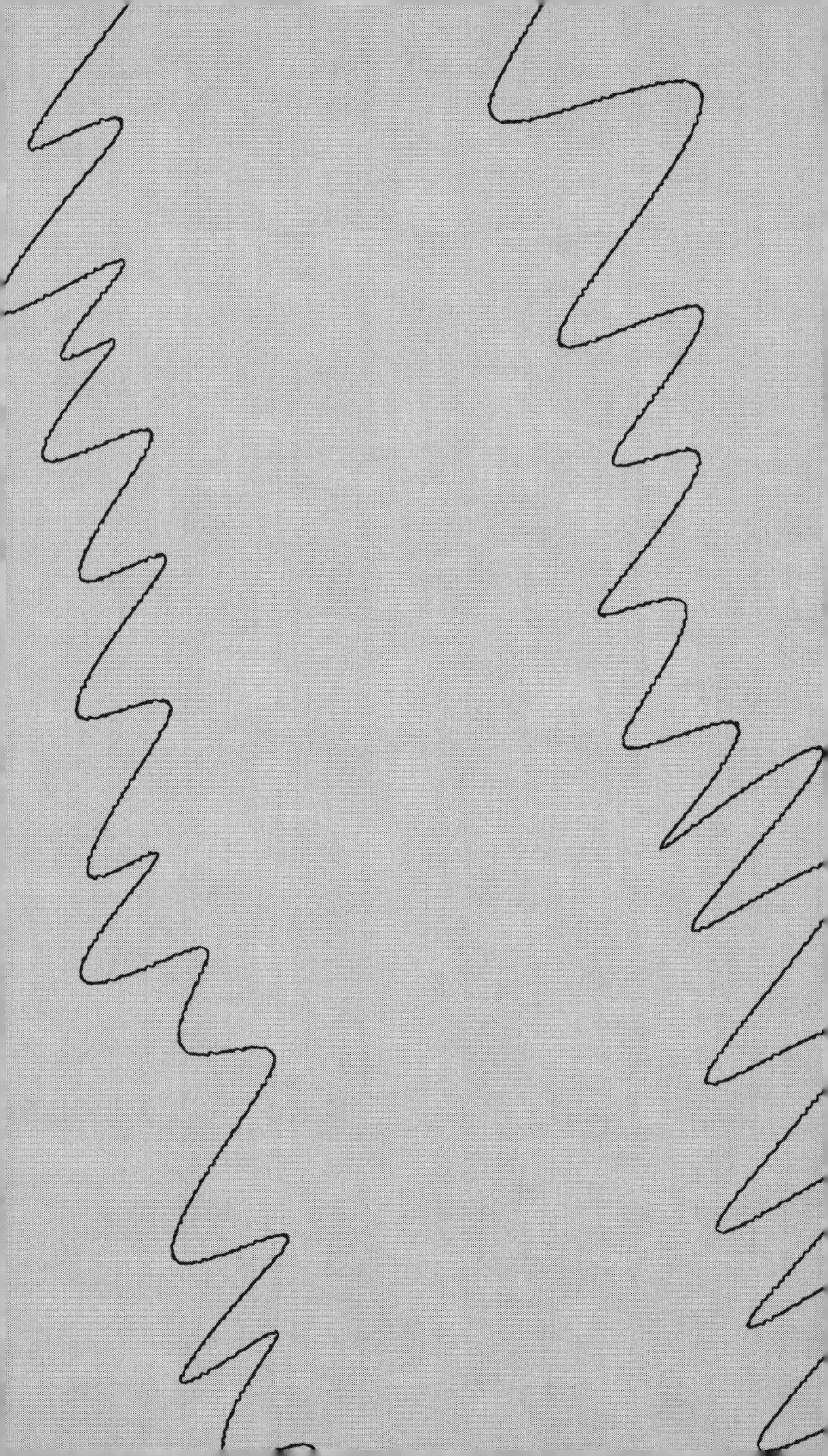

1.

No dia seguinte, Dante ligou pra um dos guris, perguntou se estava tudo bem, puxou um papo rápido sobre o tempo, sobre como tinha sido bom se encontrarem, que tinha gostado de almoçar com eles, que queria agradecer muito pela proposta, que pedia desculpas, mas que infelizmente não iria aceitar, que se quisessem podiam marcar uma reuniãozinha pra ele explicar melhor os motivos, que tinha vários horários naquela semana, que estava à disposição pra conversar. O rapaz do outro lado da linha falou que era pra ele ficar de boa, que nem precisava marcar reunião, que não precisava se preocupar, que eles entendiam bem, que não ficavam magoados, que ninguém era obrigado a nada, que era só uma cantada, que era só uma proposta, que imaginavam que ia ser uma ótima parceria, que torciam muito pra que rolasse, mas já sabiam desde o início que era difícil mesmo que ele aceitasse, paciência, quem sabe numa próxima, e que de todo modo eles tinham comentado que o reencontro tinha sido muito, mas muito rápido, que podiam marcar alguma parada um dia desses, outro almoço, um bar, um café, um churras, qualquer coisa, que com certeza ia ser massa.

2.

Dante ficou aliviado, porque tinha ficado com medo de chatear os guris, deles acharem que era uma questão pessoal, que não queria falar com eles nunca mais, que achava eles uns idiotas, uns vendidos, qualquer coisa assim, e não era essa a intenção, era só uma posição mesmo, uma outra visão de mundo, uma postura diferente, uma escolha da qual não queria abrir mão naquele momento e da qual a proposta dos guris desviava muito. Mas ele também sabia que não dava só pra negar aquele convite e ficar parado esperando uma oportunidade cair do céu, uma outra proposta, uma carreira pronta, um caminho ladrilhado por onde ele apenas desfilasse, alecrim dourado, não, não. Ele disse pra si mesmo que era preciso correr atrás, fazer por onde, cavar espaço, construir, se mexer, que não dava pra desconsiderar que o jogo sem mocinhos da vida real fora dos muros da faculdade e das rodinhas de violão não era nada fácil, porque se aquela conversa com os guris tinha servido pra algo era pra mostrar pra ele que do jeito que estava não podia ficar, que nisso eles tinham razão, quatro meses de formado e ainda sem trampo, sem perspectiva, sem rumo, sem ter o que fazer, que já estava cansado daqueles dias quase todos vazios, a turma meio dispersa, sem a rotina da faculdade, só um cineminha de vez em quando, uma cervejinha aqui e outra acolá, um barzinho ou outro, uma Redenção com João e com Maria e de resto o tédio das tardes jogadas fora em conversas idiotas no computador, um quadradinho subindo e descendo no canto da tela, fulano acabou de entrar, beltrano acabou de sair, oi, quer teclar?, essas coisas, e não dava pra tapar o sol com a peneira, que ficar sem fazer nada só esperando a banda passar era coisa de gente mimada e ser um guri mimado era a última coisa que ele queria, que tinha que fazer alguma coisa com aquele diploma, alguma coisa massa, alguma coisa importante, alguma coisa útil, qualquer coisa.

3.

Uma semana depois, Dante já tinha se mexido e pesquisado possibilidades de sublocação de horários em consultórios diferentes, encontrado algumas boas opções de salas bonitinhas e bem localizadas, no Centro, no Moinhos de Vento, no Bom Fim, entrado em contato com os proprietários, barganhado preços, decidido por uma sala na Florêncio Ygartua que era dividida por pessoas da mesma idade dele que tinham se formado em outras faculdades, na Ufrgs, na Unisinos, na Ulbra, mandado fazer e distribuído cartões pra um monte de gente, se inscrito em duas seleções de emprego em escolas e em uma residência terapêutica, animado com o passo à frente que tinha dado, com o gatilho que tinha armado, com a saída da zona de conforto, com a saída da passividade, com a possibilidade de ter um salário no final do mês, um dinheirinho só seu, clientela, tempo ocupado, mente ativa, essas coisas que faziam com que pudesse vislumbrar um futuro profissional um pouco melhor do que aquele que tinha vivido até ali.

Mas ele não foi aprovado pra nenhuma das três vagas e depois de um mês só tinha aparecido um paciente no consultório, um senhor deprimido que fez uma única sessão, não pagou o valor da consulta e nunca mais voltou, e num encontro no mesmo bar do Rossi disse para João que concordava com tudo o que ele havia dito sobre a empresa e a proposta dos gurus, que por isso tinha negado o convite, mas que achava que tinham se metido numa sinuca de bico quando apostaram em um mundo que só existe na faculdade e nos bares ao redor da faculdade, que não dava pra disfarçar a dificuldade que era estudar pra concursos, um milhão de candidatos por vaga, gente com muito mais experiência e currículo, anos de carreira, mestrado, doutorado, que eles saíam muito atrás, que formar clientela no consultório era foda, demorava um tempão, demandava investimento, não era nada fácil, que aquela falta de trampo e de ter algo pra fazer era muito pesada, que boa parte da galera estava passando um perrengue brabo pra se inserir no mercado de trabalho, gente com um paciente, no máximo dois, às vezes nenhum, gente desempregada, sem nada, gente trabalhando em outras áreas, que já tinha pensado em tudo aquilo várias vezes e que não sabia mais o que fazer, e que era importante que eles pensassem juntos nisso, como amigos, como parceiros, como colegas, que não podiam ficar a vida toda naquele chove e não molha, que não eram mais estudantes e que tinham que se virar de algum modo como adultos, que não dava mais pra ficar debaixo da aba dos coroas esperando a oportunidade perfeita de trabalho cair do céu, definitivamente não.

4.

João deu um gole na cerveja e disse que entendia aquelas dificuldades todas, que concordava com aquele diagnóstico, longe dele querer fingir que aquilo não existia, porque não era fácil mesmo, que pra ser sincero já tinha achado pesado começar os estágios e se deparar com responsabilidades e compromissos que nunca tinha tido antes, com a vida de outras pessoas nas mãos, dramas, decisões, confissões, inseguranças, medos, ser chamado de doutor, não poder faltar, não poder se atrasar, não poder estar de ressaca, que era óbvio que sacava que as complicações e responsabilidades de se formar eram ainda muito maiores do que as de um estagiário, era virar adulto de vez, ter que se encaixar nos trampos, conseguir a graninha pras contas e pra diversão sem explorar ninguém e sem ser explorado por ninguém, sem violentar ninguém e sem ser violentado por ninguém, sem trabalhar em manicômio, sem trabalhar em prisão, sem ter que fazer laudo pra juiz, sem regular a existência dos outros, sem virar fiscal de cu alheio, que era foda, mas mesmo assim se juntar aos mauricinhos e virar empresário era o fim, que aquilo não fazia sentido algum, que aquilo não era nem um pouco interessante, que não era aquela posição que tiraria eles daquela situação, que aquilo era o oposto de todos os ideais deles, e que sim, que tinham que conversar sobre aquilo como amigos, como parceiros, como colegas, e com certeza iriam achar uma saída juntos.

Dante nem deixou ele terminar de falar pra cortar com uma pergunta angustiada, meio atropelada, num tom de voz que saiu meio esganiçado, mas e nós, cara?, o que é que nós estamos fazendo?, hoje é terça-feira e estamos tomando umas cervejas aqui no Rossi como sempre fizemos, dando uns pegas na esquina morrendo de medo de atraque da polícia, matando a larica com um cachorro-quente de carrocinha, tudo isso, bebida, maconha e rango pagos com a grana dos nossos pais, como se a gente ainda fosse estudante, e a gente não é mais, cara, a gente já tá formado, a gente é adulto, me diz o que é que isso tem de interessante, de posicionado, de ideal, cara?, me diz, e João disse calma, calma, calma, cara, e concordou que usar a grana dos coroas pra tomar cerveja, comer cachorro-quente e dar uns pegas na esquina com medo da polícia não tinha mesmo nada de interessante, posicionado ou ideal, mas que não era isso que queria pra vida, que queria mais de si e da galera, que era óbvio que as coisas estavam difíceis, que terminar a faculdade era complicado, que começar a carreira era apavorante, que aquela passagem criava um limbo, um medo, um vazio existencial, que isso era súper normal, mas que ser empresário já era demais, e concluiu com a piadinha que Dante tanto já tinha ouvido na vida, que aquilo era mesmo um inferno, e que de inferno ele entendia bem.

E Dante disse que odiava aquela brincadeira, que toda hora era aquilo, que já tinha pedido pra não fazer, que não tinha culpa do próprio nome, que não tinha sido ele quem tinha escolhido, que era um nome italiano e só, que se fosse mulher seria Donatella, mas podia ser Pietro, Giuseppe, Tarantela, Porco Zio, Capicce, Roberto Baggio, Fellini, qualquer coisa, que os pais só queriam um nome italiano, que nem sabiam quem era o Dante Alighieri, que não era homenagem nem nada, que não tinha nada a ver com o inferno, que tava de saco cheio daquilo, e que ia tomar a saideira e partir, porque tava sem grana pro táxi e cansado demais pra voltar a pé e dali a pouco tempo o ônibus ia parar de passar, e além disso estava rolando muito assalto entre a Cidade Baixa e o Bom Fim, que a Protásio Alves também tava foda, que não queria arriscar, e que ia pensar mais uma vez no que tinham conversado, mas que tava foda aquele negócio de não ter nada pra fazer e não ver nenhuma perspectiva das coisas melhorarem.

5.

Mesmo depois de cinco anos de amizade, conhecendo João muito bem, sabendo quase tudo o que ele ia dizer, Dante ainda ficava um pouco assustado com essa radicalidade do parceiro, essa posição sempre firme, cheia de certeza, com balizas muito claras do que era certo e do que era errado, com limites muito cristalinos do que se deveria e do que não se deveria fazer, quem era amigo e quem era inimigo, tudo aquilo que não era assim tão fácil pra ele. Já em casa, ouvindo música fechado no quarto e pensando em João e nessas coisas, ele lembrou mais uma vez do começo da faculdade, do primeiro dia de aula, da apresentação, do trote, da festa, da Cidade Baixa, das coisas que fizeram juntos, das aulas, das leituras, dos filmes, das músicas, das conversas, e de que quando começaram a andar juntos ficou abismado com a sensação de que mesmo que tivessem a mesma idade e tivessem nascido na mesma cidade, a impressão que dava é que os dois tinham se criado em lugares e em épocas muito diferentes, com referências que não batiam, uma sensação de que parecia outra vida, outra infância, outro mundo, com referências de infância e de adolescência muito distintas, que era curioso que tivessem se aproximado tanto e se tornado tão amigos mesmo tendo histórias de vida tão diferentes.

No começo da madrugada, enquanto ouvia o Chico Buarque e o Caetano Veloso, no disco ao vivo que gravaram juntos, cantarem Cotidiano, Tropicália, Partido alto, Você não está entendendo nada, Dante começou a pensar na relação entre aqueles dois gigantes da música brasileira, dois gênios, dois caras brilhantes, dois parceiros tão diferentes entre si, e lembrou de uma vez em que João contou que não entendia muito bem o que significava aquela bandeira vermelha com uma estrela amarela que ele carregava dependurado na cacunda do pai quando era bem pequeno, seis, sete anos no máximo, mas sabia que aquele tio de bigode era do bem e que os outros eram do mal, que na escola a professora ensinava que aquele era um momento importante para a história do Brasil, que a democracia tinha chegado, que agora todos podiam dizer o que pensavam, que faziam jogos em sala, pequenos pleitos pra escolher isso e aquilo, qual seria o lanche de amanhã, quem iria apagar o quadro negro, qual música iriam cantar no dia das mães, qual iriam dançar na festa junina, qual seria o tema da aula da semana seguinte, esse tipo de coisa que João adorava, e que uma vez, quando a professora perguntou às crianças em quem seus pais iam votar e alguns amiguinhos disseram que no Britto, no Carlos Araújo e no Villela, ele tinha gritado todo orgulhoso e o mais alto que podia que era no Olívio, e que ficou muito alegre com a alegria dos pais quando ele ganhou as eleições, porque sabia que alguma coisa boa tinha acontecido.

Dante nem lembrava em quem os pais tinham votado em 1988, mas lembrava que na escola onde ele estudava os professores que usavam broches do PT foram todos demitidos, que alguns alunos do segundo grau fizeram manifestações em defesa dos professores expulsos, mas que não adiantou nada, e que ele ficou um pouco triste porque os tios mais legais tinham ido embora da escola, mas essa tristeza tinha passado rapidinho, porque logo chegaram outros professores de quem ele também gostou e porque os pais diziam que os professores demitidos estavam errados, que aqueles broches não eram coisa boa, que os alunos precisavam se acalmar, que uma escola precisa ser neutra e sem dogmas e que a direção agiu corretamente, com autoridade e sem autoritarismo.

6.

E achava engraçado que fosse tudo tão pertinho e tão diferente ao mesmo tempo, um mesmo mundo, os mesmos acontecimentos, mas memórias muito distintas, e nas várias vezes em que conversaram sobre marcos importantes da geração essa diferença aparecia, porque João lembrava bem do dia que o Muro de Berlim caiu e contava com detalhes algumas coisas, as cenas na televisão, o otimismo dos âncoras do telejornal, o nervosismo que sentia quando entrava a vinheta do plantão da Globo no meio dos programas que estava vendo, a Sessão da tarde, o Vale a pena ver de novo, o Xou da Xuxa, e que tinha perguntado pros pais se aquilo era bom ou era ruim e eles disseram que era uma coisa importante, uma coisa importantíssima, mas não responderam se era bom ou se era ruim, que o pai tinha ficado quieto olhando as notícias e que a mãe pegou ele no colo e falou que ia explicar o que estava acontecendo, que de um lado do muro tinha uma ditadura parecida com aquela que tinha acabado no Brasil, que não era igual mas era quase a mesma coisa, que as pessoas não podiam dizer o que pensavam, que não podiam passar pro outro lado do muro, que era proibido, que às vezes fugiam, que quando fugiam podiam ser presas, podiam ser mortas, que não tinham acesso a muitos produtos, que as coisas eram um pouco cinzas, assim, meio sem cor, meio quadradonas, mas que lá tudo era de todos, lá todos eram iguais, lá ninguém precisava pagar por coisas como a saúde e a educação, e que do outro lado do muro tinha uma democracia, que todos podiam dizer o que pensavam, podiam votar pra escolher o presidente, podiam circular por onde quisessem, que tinha vários shoppings tipo o Iguatemi, que as pessoas podiam comprar o que desejassem, mas que a desigualdade social era enorme, que tinha gente muito rica e gente muito pobre, que tinha gente que mandava e tinha gente que obedecia, que era um país que abusava de outros países, que por causa dele tinha populações inteiras que viviam na miséria, que não tinham o que comer, que não tinham água para beber, países onde as crianças morriam de fome e de sede, onde os adultos não tinham trabalho, onde os pobres não tinham chance, e que esse era o lado do muro que tinha ganhado, que esse era o lado mais forte, o lado mais poderoso, que o lado da desigualdade era o vencedor.

João ficou confuso e não conseguiu decidir qual era o bem e qual era o mal, e no ano seguinte, quando jogava futebol no colégio, dizia que era o Lothar Matthäus, o craque do time alemão que ele e todos os colegas queriam ser, mas como nem todos podiam, alguns eram o Littbarski, outros eram o Brehme, o Völler, o Klinsmann, quem jogasse de goleiro era o Illgner, e que esses caras tão distantes eram seus heróis, os ídolos colados em um álbum de figurinhas todo amassado que não chegou a completar, e que nesse mesmo ano, nessa mesma Copa, chorou sozinho no quarto quando Maradona driblou um monte de brasileiros e passou a bola pro Caniggia, e o Caniggia driblou o Taffarel e fez o único gol do jogo que eliminou o Brasil da Copa e classificou a Argentina para as quartas de final, justo a Argentina, que o Galvão Bueno dizia que era catimbeira, perigosa, desonesta, má, e que não entendia por que o Sebastião Lazaroni não escalava o Renato Portaluppi nem por que o Romário não estava lá, e quando viu a Alemanha ganhar a final não associou o time campeão do mundo daquele ano ao muro que tinha caído no ano anterior.

Dante lembrava que na escola também queria ser Lothar Matthäus, ele e todos os seus colegas, que também tinha chorado muito quando o Brasil perdeu pra Argentina, e que tinha torcido muito pra Alemanha na final, que não se importou nem um pouco que o pênalti que decidiu o título tinha sido roubado, que roubado era até melhor, que lembrava disso muito bem também, mas que não tinha nenhuma memória da queda do muro, que os pais não devem ter feito questão de explicar nada, que pra ser sincero talvez nem fosse se interessar muito também, que não era tão curioso quanto João, que via os mesmos programas de televisão mas nem lembrava do plantão nessa época, que só achava engraçado dois países terem o mesmo nome, como a Irlanda, como a Coreia, como a Guiana e mais alguns poucos no Geoatlas que levava pra escola pra aula de Estudos Sociais, que pra ele era só isso mesmo, duas Alemanhas, uma coisa meio curiosa, meio engraçada e só.

7.

Ele sempre ficava espantado com aquela memória louca do amigo pra esses acontecimentos, a lembrança de coisas que aconteceram quando era tão novinho, quatro, cinco, seis, sete anos, o anúncio da morte de Tancredo Neves, a preocupação dos pais com o José Sarney, com o retorno galopante do Velho Sarna, como eles diziam, as primeiras eleições diretas pra presidente em muito tempo, a desistência do Silvio Santos, o Marronzinho, o Enéas, o Covas, o Brizola, que o Lula e o Collor foram pro segundo turno, que o Collor era todo engomadinho, limpinho, mauricinho, que o Lula era barbudão, meio sujo, que falava de um jeito estranho, parecia que tava sempre meio brabo, que os pais colocavam pra tocar em casa o disco com o jingle, Lula lá, brilha uma estrela, Lula lá, meu primeiro voto, Lula lá, para presidente, que foi levado pelos pais aos comícios na garupa, que adorava aquela festa, as bandeiras vermelhas com uma estrela, aquela gente legal, e sabia que Lula também era do bem, como o Olívio Dutra era do bem, que era pra ele que torcia, que foi com o pai e com a mãe até o Instituto de Educação da Ufrgs, costeando o parque da Redenção cheio de santinhos espalhados pelo chão, e que entrou na cabine com cada um deles e acompanhou a marcação de um x num quadradinho e a colocação do voto na urna, e ficou triste no dia que foi anunciada a vitória de Collor.

Pra variar, Dante não lembrava de muita coisa daquela época, mas sabia que na casa dele todo mundo tinha votado no Collor, o caçador de marajás, o jovem rico, o cara que não era nem de esquerda nem de direita, porque andar pro lado é coisa de caranguejo, porque o Collor era o cara que ia levar o Brasil adiante, à frente, o cara que o país precisava pra encontrar o progresso, a ordem, o avanço, e que os pais fizeram um churrasco com a casa decorada com bandeirinhas verdes e amarelas pra comemorar a vitória com os tios e que todo mundo estava muito feliz.

8.

E ficava um pouco intimidado com isso, porque parecia que João sempre tinha estado do lado certo, do lado mais afudê, que nunca tinha dado um passo em falso, que era uma coisa quase de sangue, meio genética, que nem precisava se esforçar pra ser do jeito que era, bem posicionado, certeiro, preciso, como fazia agora dizendo que ele não deveria topar a empreitada de jeito nenhum, que mesmo que não tivesse nada mais pra fazer não devia aceitar aquele convite, que era cilada, pegadinha, golpe, que tinha certeza absoluta daquilo tudo, e que ele, ao contrário, precisava estar sempre atento, se policiando, ligado no que ia fazer, porque tudo parecia mais instável pra quem tinha vindo de uma família como a dele, com aquela história, com aquelas posições, com aquelas marcas.

Mas também ficava feliz de lembrar que nem tudo era tão diferente nas vidas dos dois, que tinham muitas coisas em comum, muitas sintonias, muitas ligações, tipo a vez que se deram conta de que ambos adoravam ir ao Iguatemi no verão pra ver o espetáculo aquático com as focas, os golfinhos, as baleias, todos aqueles animais obedientes fazendo acrobacias, mas naquele tempo nenhum dos dois sequer desconfiava que os bichos eram muito maltratados, que viviam dentro de um tanque, que tinham sido raptados do mar, roubados das famílias, que eram escravos do show, e nem Dante nem João sabiam que alguns anos antes uma orca chamada Tilikum tinha sido capturada no golfo da Islândia, uma captura incrível, com foguetes, perseguições, artimanhas e com o ruído triste do bicho que tinha sido pego e dos familiares que ficaram, que foi como o papo dos dois começou uma vez no intervalo da faculdade, porque tinham visto juntos um documentário que contava a história dessa orca e ficaram muito impactados com aquilo tudo, com o rapto, com a exploração, com a maldade, com a Tilikum arrastando sua treinadora pro fundo da piscina em Orlando diversas vezes seguidas até quase matar a mulher de desespero, com a Tilikum matando a treinadora puxando pra debaixo d'água pelo cabelo e engolindo o braço dela na frente de centenas de turistas, e lembraram do tanque com os bichos no estacionamento do shopping e se acharam uns idiotas por terem se alegrado tanto com aquela violência bizarra que os humanos impunham aos pobres animais, e comentaram que quando eram crianças não podiam desconfiar que o mundo era aquilo, sequestro, cativeiro, violência, morte, força contra força, que essa era a regra do mundo, a regra da natureza, a regra do capitalismo, só sabiam que as focas sabiam equilibrar bolas, que as orcas comiam peixes na mão dos treinadores, que os golfinhos davam saltos e passavam lisos por entre arcos dispostos em intervalos regulares, e que tudo aquilo era o máximo, a água azul cristalina, a narração empolgada, aqueles bichos todos ali, em uma cidade que não tinha mar, que tinha só um rio poluído, mas tinha saco de pipocas, Coca-Cola, brindes, tudo mais interessante e divertido do que o trote que tanto Dante quanto João gostavam de passar um pouco depois, ligando para um número qualquer e perguntando se era do circo, ouvindo a resposta negativa e perguntando então por que é que tem um palhaço na linha?

9.
E no meio daquela angústia, Dante ficava feliz de perceber que as vidas não tinham sido tão diferentes assim, que ele e João tinham várias coisas em comum, que, por exemplo, os dois lembravam do dia em que ouviram pelo rádio o começo da Guerra do Golfo e não entendiam como um repórter podia dizer que os caças americanos haviam chegado ao Iraque, que as forças de George Bush iriam enfrentar as forças de Saddam Hussein, que o conflito entre o Iraque e o Kuwait iria se resolver em breve, pois o poderio bélico norte-americano era imbatível, que no Golfo Pérsico não seria como no Vietnã, que Bagdá não era Saigon, o barulho dos bombardeios ao fundo, o zunido dos aviões, uma coisa muito assustadora, os repórteres no meio da guerra, no meio do fogo cruzado, os navios lançando mísseis de cruzeiro, os caças saindo dos porta-aviões, as bombas inteligentes explodindo ao fundo, que na época do segundo grau os dois se deitavam nos sofás das suas casas depois do almoço e ligavam a televisão no canal cinco pra assistir Chaves e Chapolin, que riam que se matavam daqueles episódios que já tinham visto várias vezes, o lustrador de pratas, Acapulco, o Natal na casa do seu Barriga, Poucas Trancas, Quase Nada, Rosa Rumorosa, o restaurante da Dona Florinda, os aerolitos, a bola quadrada, que isso embalava o sono da tarde dos dois, uma preguiça que se estendia até a hora do lanche, que comiam umas torradas, que tomavam um

Nescau, um Quick, um Neston, essas coisas, que ficavam vadiando até a hora que os pais voltavam pra casa, e Dante adorava que fosse assim, que se é verdade que tinham muitas coisas diferentes, outra formação, outra infância, outra vida, outra família, não era menos verdade que havia coisas iguais pros dois, como tantas coisas começaram a ser iguais desde que se aproximaram e se tornaram melhores amigos, confiando muito um no outro, andando sempre juntos, só eles dois, eles dois e Maria, eles dois, Maria e o restante da turma.

10.

E achava muito legal que aquelas infâncias tão diferentes fossem cada vez mais uma juventude junta, sintonizada, parceira, fiel, que cada vez mais concordassem, pensassem as mesmas coisas, que fizessem cada vez mais coisas juntos, como marcar de se encontrar na fila de ingressos para o Porto Alegre em Cena, o maior festival cultural da cidade, com atrações do mundo inteiro e ingressos vendidos a apenas cinco reais, baratíssimos. Todo mundo sabia que os pontos de venda teriam longas filas, que os ingressos para os espetáculos mais disputados acabariam logo, e os dois acordaram cedo, cedíssimo, antes mesmo do sol raiar, e às sete e meia da manhã já estavam no terceiro andar do shopping Praia de Belas esperando as bilheterias abrirem pra garantir as entradas das grandes atrações daquele ano, a musicalização minimalista de Philip Glass pro filme Drácula de 1931, com atuação de Bela Lugosi, executada ao vivo no Teatro do Sesi, O lago dos cisnes dançado pelo Cullberg Ballet, da Suécia, e o Hamlet encenado pelo grupo Meno Fortas.

Por volta das dez horas, a fila andava devagar e os dois estavam com medo de não conseguir comprar os ingressos pra eles e pra Maria, e contavam o número de pessoas que estavam na frente, calculavam a capacidade máxima dos teatros, se perguntavam quantos ingressos cada uma daquelas pessoas estava comprando, se daria ou se não daria pé, quando uma senhora que tinha pedido pra guardarem o lugar dela porque precisava ir ao banheiro disse que tinha visto cenas horríveis em uma televisão que estava ligada na vitrine da Multisom, que dois aviões tinham derrubado as Torres Gêmeas, em Nova Iorque, que não sabia bem o que era, acidente, intenção, que parecia até replay, que era horrível, horrível, aqueles prédios gigantes sendo decepados, fogo, fumaça, fuligem, gente correndo, que parecia ficção científica, que era impossível que dois aviões se acidentassem em sequência daquele modo, quase igual, um atrás do outro, que era muito chocante.

E as pessoas começaram a se revezar pra descer e assistir as cenas assustadoras que passavam sem parar na televisão e voltavam meio histéricas, falando com quem estava perto, falando pelos celulares, contando o que tinham visto, o que achavam que era, quem achavam que tinha sido, e João disse pra Dante que ia descer também, e viu com estupefação as cenas que a televisão reprisava sem parar, e quando voltou falou que era aquilo mesmo, que não podia ser acidente, que aquilo só poderia ter sido um ato terrorista e que a represália americana viria forte.

E a fila andou, e chegou a vez deles comprarem os ingressos pros espetáculos, e nos próximos dias leriam e ouviriam com uma frequência cada vez maior aquelas palavras e expressões antes pouco usadas, o terrorismo, os terroristas, os atos terroristas, Osama Bin Laden, al-Qaeda, Talibã, anthrax, Operação Anaconda, Afeganistão, Kandahar, e fechado no quarto Dante lembrou que esse foi o primeiro episódio grande que os dois viveram juntos, que a partir dali as vidas começaram a ser coladas, que iam poder recordar disso muitos anos depois, como recordavam do Fórum Social Mundial, da eleição do Lula, das viagens, de um monte de coisas, e que isso era muito bom, que isso era ótimo, que isso era lindo, que queria mais disso, viver coisas juntos, lembrar de coisas que viveram juntos, mas que isso não significava se sentir preso às opiniões de João, porque viver a vida juntos era também poder discordar, ter histórias diferentes, querer coisas diferentes, fazer coisas diferentes, ser diferentes, e talvez fosse a hora de tomar coragem e sair de baixo da barra da saia dele, porque dentre as muitas coisas que tinha aprendido com João, uma das mais importantes era pensar com a própria cabeça e não com a cabeça dos outros.

11.

E na tarde seguinte, numa conversa na Lancheria do Parque, dividindo uma jarra de suco de melancia e um sanduíche de linguiça, Dante disse pra João que ia direto ao assunto e que esperava que ele não levasse a mal, mas que depois de mais uma noite de insônia, lembrando de muita coisa, da infância, do que tinham vivido juntos, das diferenças entre eles, das semelhanças entre eles, das histórias de vida, uma madrugada em que tinha pensado muito, virado e revirado na cama, chegado a uma conclusão, mudado de ideia, voltado à opinião anterior, mudado de novo, lido, ouvido música até quase de manhã, achou que talvez os guris estivessem bem-intencionados, que podiam até estar equivocados, sim, sim, isso era possível, mas que não eram os diabos que João pintava, que parecia que eles queriam mesmo fazer uma coisa interessante, que talvez não soubessem bem como, que ainda não tinham o caminho das pedras, que não tinham a base, e que se estivesse por perto podia ajudar eles a perceberem coisas que ainda não percebiam, que podia ser uma boa influência, ser um pouco daquilo que a faculdade tinha sido pra ele próprio, um pouco daquilo que João tinha sido pra ele próprio, que sabia muito bem da importância de alguém que mostra outros rumos pra gente, que sem isso a gente fica parado mesmo, não muda, que era só olhar a história deles dois, tudo que tinha sido tão diferente, tudo que tinha ficado igual, e que parecia que os guris estavam dispostos de verdade a ouvir o que ele tinha a dizer, que tinha tido essa impressão naquele almoço, que conhecia bem os guris e achava mesmo que podia ajudar, porque eram pessoas com quem tinha uma história em comum, tantos e tantos anos de infância e de adolescência, alfabetização, brigas, futebol, as transformações do corpo, a voz, as espinhas, os braços longos e finos, os primeiros tragos, batidinhas de vodca com frutas, melancia atômica, as minas, as alterações de comportamento, de pensamento, e que a vida era isso, passagem do tempo, mudança, coragem.

E que podia parecer estranho e talvez os guris nem gostassem de saber disso, mas que olhando com calma e sem preconceitos aquela proposta era uma coisa meio de esquerda, mas uma esquerda conectada às inovações que o mundo pede, sem os radicalismos e durezas tradicionais, sem aquela coisa comunista cinza e quadrada, antiquada, stalinista, leninista, maoísta, hierarquizada, uma coisa meio de esquerda mas sem politburo, sem paredão de fuzilamento, sem gulag, sem Sibéria, que se tudo muda a esquerda também tem que mudar, se atualizar, porque o mundo já é outro, e que uma das coisas que tinha aprendido com o próprio João é que é preciso ocupar os espaços, disputar os sentidos, porque se as pessoas interessantes ficarem só no próprio mundinho nada vai mudar, e que por isso tudo talvez pudesse pagar pra ver e topar a empreitada ao menos por um período de testes, e fazia questão que João fosse o primeiro a saber que tinha tomado essa decisão, pelo carinho e pela consideração que tinham um pelo outro.

12.

João respirou fundo e disse que precisava confessar que era muito difícil aceitar que seus melhores amigos desistissem da luta justamente agora que tinham um mandato social que permitia um protagonismo que não tinham quando eram estudantes, e que Dante estava tomando a pior decisão de todas, porque era muito óbvio que aquilo era uma ratoeira, porque era muito óbvio que aquela parada era do mal, porque aquele negócio era puro veneno do início ao fim, porque tinha certeza que só queriam usar ele pra ganhar dinheiro e nada mais, que com vinte e três anos já estava se entregando, que era pra ele lembrar do Walter Benjamin e do Foucault, lembrar da morte deles, lembrar que esses caras não se entregaram pro sistema, que o Guattari tinha morrido em La Borde de ataque do coração, que era pra lembrar do Deleuze, do Pasolini, do Jimi Hendrix, do Jim Morrison, da Janis Joplin, do Brian Jones, lembrar que o Kurt Cobain tinha deixado uma cartinha pro Arnaldo Baptista quando veio tocar no Hollywood Rock e escreveu que era pro Arnaldo ter cuidado com o sistema porque eles iam engolir e cuspir ele como se fosse o caroço de uma cereja, e que era isso que ia acontecer com Dante também, ser engolido e cuspido como um caroço, mas que se quisesse ser engolido e cuspido como um caroço de uma cereja, de uma melancia, de um abacate, de uma jaca ou do que quer que fosse, tudo bem, que isso era uma questão de escolha, que não ia amarrar ele na cadeira, não ia proibir, não ia fazer nada, que já tinha dito tudo que pensava, que não era babá de marmanjo e que cada um tinha que saber de si e era isso.

13.

Dante não quis contrapor, não quis contra-argumentar, não quis se justificar, não quis falar mais nada, porque já estava cansado daquilo tudo, das conversas, das dúvidas, das incertezas, dos dias vazios, e achou que só ia ser pior, que podiam brigar, que João podia ficar ainda mais brabo, que não ia adiantar nada, e saiu da Lancheria do Parque mais inseguro do que entrou, porque entendia o que João dizia, a frustração, a raiva, a decepção, porque não sabia mais o que fazer com o vazio da vida, com os dias trocados pelas noites, com aquela barra pesada da insônia, porque não tinha nenhuma certeza de qual era a melhor escolha, porque ia ficar em dúvida qualquer que fosse a decisão que tomasse, porque morria de medo que fosse uma furada, que fosse pilantragem, papinho mole, exploração, porque se perguntava se não ia se arrepender depois, se quando tudo isso acabasse não ia tomar arriada de João a vida toda, porque não podia colocar a mão no fogo pelos guris, porque eles não eram as pessoas mais puras do mundo, mas também não pareciam mais os piás idiotas do segundo grau, não pareciam mais os escrotos que tinham debochado da barba, do cabelo e da roupa dele quando ele começou a mudar um pouco, que era óbvio que queriam ganhar grana, mas achava que também queriam fazer um mundo melhor, mesmo que do jeito deles, e que talvez fosse possível mudar o mundo e ganhar grana ao mesmo tempo, e se despediu de João de um jeito meio estranho, seco, sem abraço, sem aperto de mãos, só um tapinha no ombro e cada um indo pra um lado da Osvaldo Aranha.

14.

Quando Dante ligou pra perguntar se o convite ainda estava de pé, que tinha pensado melhor e mudado de ideia, que estava disposto a ver qual era, os guris ficaram muito felizes, que é claro que a proposta ainda estava na mesa, que ia ser massa, que ele era tudo aquilo que a empresa precisava pra deslanchar, e propuseram se encontrar em breve, quem sabe depois de amanhã, quinta-feira, às duas horas, num café na Padre Chagas, um café bonito, todo feito com madeira de demolição, inspirado em alguns restaurantes que os donos tinham conhecido em San Francisco, na Califórnia, um café que só usava produtos orgânicos e itens comprados de pequenos produtores locais, que já estreou na moda, sempre cheio, com nota na coluna social, um café onde eles tinham se reunido outras vezes, que era bem bacana e que com certeza Dante ia curtir também, que era um lugar que era a cara deles quatro.

E Dante confirmou, falou que podia, que ia ver o endereço certinho e como chegar, mas que podiam contar com ele, e dois dias depois, assim que terminou de almoçar, se encasacou todo pra encarar o frio e saiu correndo pra pegar o ônibus, descer no ponto da 24 de Outubro, caminhar pela Hilário Ribeiro, depois pela Padre Chagas, e andar rápido por aquela região da cidade que foi uma das preferidas dele por muito tempo, sem chinelagem, protegida, elegante, onde ia às festas no Azteca aos domingos, aos shows de pagode do Se Ativa, aos restaurantes que os pais gostavam, a Orquestra de Panelas, o Tutto Riso, o Café do Porto, o Z Café, todas aquelas coisas de que já tinha sido tão próximo e que agora soavam tão estranhas no caminho pro café onde foi recebido com sorrisos e abraços por todos os guris e ouviu mais uma vez que estavam muito felizes com o aceite, que era uma honra contar com ele, que era muito bom ter ele por perto, que ia ser muito útil na empresa, que ia ser o salto de qualidade que estavam precisando, e que essa reunião era mais pra dar as boas-vindas e combinar o tom da parada, acertar os ponteiros, fazer a sintonia fina, pra que explicassem a função de cada um, o que cada um ia fazer, o que esperavam de cada um.

E a verdade é que Dante não achou de todo ruim a tarefa de propor projetos que trabalhassem perto do desejo coletivo, mas não de um desejo coletivo qualquer, geral, de todo mundo, que todo mundo sabe que isso não existe, não é mesmo?, porque todos sabemos que há camadas sociais, e, portanto, camadas de desejo e, portanto, camadas de consumidores, e que, com o perdão do termo, mas fica só entre nós, não era o desejo coletivo da tigrada que ia interessar num primeiro momento, mas um desejo coletivo mais sofisticado, de pessoas inteligentes, atentas ao presente, cosmopolitas, pessoas do bem, com a cabeça ventilada, sem preconceitos, pessoas como eles, e que a ideia é que montassem produtos que ajudassem essas pessoas a criarem um mundo melhor, porque era isso que queriam ser, o trampolim pra um mundo melhor, e que achavam que a Psicologia poderia contribuir pra essa tarefa e que por isso queriam repetir que ficavam muito felizes com essa nova parceria.

Dante disse que também estava animado, que tinha pensado e oscilado muito antes de definir, que não tinha sido nada fácil, que decidiu e mudou de ideia muitas vezes, e que torcia pra que tudo desse certo, que tinha gostado do que tinha escutado, que tinha curtido a direção que os guris tinham dado, que ser um trampolim pra um mundo melhor sem dúvida era algo que também era do interesse dele, mas que achava importante lembrar que esse aceite era uma resposta temporária, que iria avaliar com o tempo se se encaixava mesmo naquele trabalho, que não queria se sentir pressionado a ficar caso não curtisse, que isso tinha que ficar muito claro desde o início, pra evitar mal-entendidos mais à frente, e os guris responderam que não tinha problema nenhum, que tinham compreendido bem, que quando ele quisesse sair poderia ficar à vontade, sem galho, sem ressentimento, sem nada, que não iam cobrar multa nem amarrar ele na cadeira, mas que achavam que ele ia curtir, que aquilo tudo era a cara dele, que ele ia ajudar muito, ser muito importante, que em breve podiam marcar outra reunião, mas que ele já podia ir pensando em projetos, que se sentisse muito livre pra dar asas à imaginação, que ficasse bem livre pra inventar, que deixasse a cachola fluir, que era isso que esperavam, e que o árbitro já tinha trilado o apito, que o jogo já tinha começado, e que juntos iam arrebentar.

INVERNO

1.

No começo daquele inverno rigoroso, que já nos primeiros dias fez as pessoas tirarem as luvas, as segundas peles, as toucas e as polainas dos armários, um inverno adorado por aquela turma que curtia Vitor Ramil e Nei Lisboa em volta da lareira, ruas da flor lilás, ruas de um anarquista noturno, venta, ali se vê, aonde o arvoredo inventa um ballet, que curtia o minuano urbano tomando um mate amargo enrolado em palas, que usava bombachas de estilista, que pedia a ceva mais gelada nas mesas de calçada do Van Gogh, que tinha lã, ceroula, bergamota, pinhão, ipê roxo e casca grossa, um inverno que era só um clima, nada mais que um clima que com certeza passaria, porque o calor aos poucos voltaria como sempre voltou, a primavera, a Semana Farroupilha, a aurora precursora do farol da divindade, as façanhas servindo de modelo a toda terra, o horário de verão, o verão escaldante de Forno Alegre, tudo como sempre foi, a vida cíclica, circular e sazonal das quatro estações demarcadas que são um dos orgulhos do Rio Grande do Sul, as vidas bem diferentes ao longo do ano, frio e calor, vinho e cerveja, regata e jaqueta, mocotó e salada de frutas, lareira e banho de mangueira, João pouco a pouco se entocou no apartamento em que tinha vivido desde que nasceu.

Porque estava preferindo ficar sozinho, porque nada valia a pena, porque a cidade que tanto já tinha gostado agora parecia ter tão pouco a oferecer, porque era melhor virar as costas praquele mundo áspero e sem jeito, individualista e bélico, porque preferia ficar trancado em casa a se vender, porque não era desses que se casavam cedo, que iriam viver na Europa trabalhando como babás, vendedores ou garçons, que iriam fazer concursos públicos mal remunerados, que cogitavam participar de empreendimentos descolados e empresariais em busca da estabilidade que propiciaria coisas maravilhosas logo à frente, a médio prazo, a longo prazo, a segurança e as conquistas que o terceiro grau completo deveria propiciar a um jovem adulto de classe média, a segurança das contas pagas, luz, água, gás, telefone, o aluguel, televisão, torradeira, máquina de fazer pão, o colégio dos filhos, um sitiozinho, um bom plano de saúde, o pay-per-view do futebol, e se isso era tudo o que a vida podia ofertar àquela geração e tudo o que aquela geração podia ofertar à vida, e se até Dante tinha desistido, ele preferia passar os dias em casa, lendo, tocando violão, se masturbando, comendo pouco, trocando o dia pela noite, sem vontade de fazer nada além daquilo que estava fazendo, se abster, recuar, ficar na dele, dar um tempo, se exilar.

2.

Depois de duas semanas quase sem nenhum contato social, decepcionado com aquilo que a vida tinha se tornado, com a falta de opções, com os escapes dificultados, sem vontade de fazer nada, de encontrar Maria, de ver os amigos, de deixar o vento bater na cara, o sol queimar o corpo, de se molhar na chuva, de tomar umas, de dar uns pegas, de dar umas bandas, nada, nada, nada, indo só do quarto pra sala, da sala pro banheiro, do banheiro pra cozinha, da cozinha pra sacada, João precisou comprar algumas coisas pra casa, coisas de higiene, coisas de limpeza, comida, itens sem os quais era difícil de viver, papel higiênico, sabonete, detergente, pão, manteiga, leite, frios, massa, carne, frutas, e quando andava de cabeça meio baixa e cara de irritado pela Fernandes Vieira, viu um grupo de quatro pessoas que terminava o almoço duas marquises acima do supermercado onde sempre ia, e estancou de repente a uns cinco metros delas, e olhou com atenção o jeito como comiam, o jeito como sentavam, o jeito como conversavam, como riam, o jeito como se implicavam, e olhou pras panelas enferrujadas, pras canecas tortas de metal, pras roupas rasgadas, pros dois cuscos magros e bem cuidados, pras marmitas com um amontoado pastoso de comida que eles devoravam com vontade, e ficou ali parado por um tempinho, dois, três, cinco, dez minutos, e numa iluminação estranha, uma coisa que nunca tinha sentido, como se de repente os caminhos voltassem a se abrir e a vida a fazer sentido, achou que aquelas pessoas não pareciam os pobres coitados que todo mundo enxergava neles, miseráveis, esfarrapados, uma gente sem opção que foi parar na rua por obrigação, por não ter mais o que fazer, porque foi o último recurso que encontraram, porque naquele momento aquelas quatro pessoas pareciam pessoas muito mais livres do que ele e todos os seus amigos, pessoas muito menos presas a tudo aquilo que as pessoas ao seu redor sempre valorizaram, pessoas que não se entregavam, pessoas mais dignas do que todas que conhecia, e assim, num estalo, teve certeza de que não havia outra coisa a fazer pra enfrentar aquela sensação de derrota e aquela falta de vontade de fazer qualquer coisa que tinha lhe tomado nos últimos tempos senão montar uma mochila, fechar o apartamento, descer as escadas, abrir o portão e ir pra rua sem olhar pra trás.

Porque essa era a única saída praquele estado de coisas deprimente, pras obrigações, pro mercado de trabalho, pro contrato social, pra profissão, pras capitulações, pras empresas, pras falcatruas, pros sanguessugas, sair disso tudo e ir onde nada disso era importante, sair disso tudo e ir onde pudesse viver como queria, livre, leve e solto, sem constrangimentos, sem pressões, sem se entregar, porque a saída sempre tinha sido essa, a radicalidade, o ímpeto, a força, e se ninguém tinha coragem de bancar nada naquela merda de geração, era hora dele tomar a frente e que se foda o resto, foda-se o que vão pensar, porque parado ali, admirando aquelas quatro pessoas, não tinha a menor dúvida de que era isso que tinha que fazer.

3.

Os pais ficaram assustados, o telefone passando de um pro outro, os dois querendo saber o que é que tinha acontecido, se ele tinha ficado chateado com alguma coisa, se o namoro não ia bem, se estava se sentindo carente, rejeitado, solitário, se precisava de alguma coisa, se queria que eles voltassem pra Porto Alegre, que não tinham nenhum compromisso e podiam ir naquele dia mesmo, que não tinha problema, que em uma hora estariam lá, uma hora e meia no máximo, só arrumar as coisas e partir, se não seria bom passar um período com eles, que o quarto tava limpinho, a cama arrumada, que o clima por lá andava bom, friozinho e sol, que fazia tempo que o filho não visitava eles, se precisava de um pouco mais de grana, se queria conversar, que eles estavam lá pro que ele precisasse, que podia contar com eles pra tudo, que sabiam que aquela fase era difícil, que também já tinham passado por ela e que todo o apoio era importante, e que ele precisava ter calma, não fazer as coisas sem pensar, esfriar um pouco a cabeça, que aos poucos tudo ia se ajeitar, porque aos poucos tudo sempre se ajeita, que o pai podia fazer um churras, que a mãe podia fazer uma carbonara, um feijãozinho, um doce, o que ele quisesse.

João não deu muita trela, disse que tava tudo ótimo, que fazia tempo que não se sentia tão bem, que eles não precisavam se preocupar, que ia dar tudo certo, que eles tinham trepado, que eles tinham sido torturados, que eles tinham acreditado na paz e no amor, no Oriente, na cítara, no incenso, em Marx, no Che Guevara, no Fidel, no Jango e no Mao e que ele só queria a rua, nada de mais, ficar pela cidade, se desprender das normas, colocar o corpo pra jogo, não era isso que a gente não fazia, pai?, agora chegou a hora.

4.

Assim que entrou no apartamento, Maria deu um abraço forte e demorado em João e perguntou de onde tinha saído aquilo, que ele nunca tinha falado nada, que ela não fazia a menor ideia daquela maluquice, se era alguma coisa que ela tinha feito de errado que ele podia dizer, que ela ia tentar melhorar, não repetir, que eles podiam conversar e se acertar de novo, e que queria saber o que seria do amor deles, como fariam pra se encontrar, que ela ia ficar morrendo de saudades.

João disse que não era nada com ela, que achava que ela também acreditava que o amor não era caseiro, que o amor não precisava de quatro paredes, de alcova, de ceninha burguesa, que o amor é político, que o amor é público, e que não estava terminando nada, bem longe disso, aliás, que queria muito continuar com ela, que achava ela maravilhosa, uma das poucas coisas boas que tinha sobrado naquela galera, uma das poucas coisas boas que tinha sobrado naquela geração, que estava apenas indo morar na rua, é só isso, é só isso, confia em mim que tudo vai dar certo. Ela disse que confiava, sim, mas que ficava com medo, medo de se perderem, medo do que podia acontecer com ele, medo de um monte de coisas, e perguntou se ele se importava que ela dormisse lá aquela noite, e ele disse que é claro que não.

5.
Na manhã seguinte, assim que saiu de lá, da calçada em frente ao prédio, Maria ligou pra Dante e disse que ele precisava conversar com João, porque aquilo era uma loucura, porque aquilo era muito perigoso, era muito arriscado, porque alguém tinha que fazer alguma coisa, que ela não tinha conseguido, que os pais não tinham conseguido, que talvez com um amigo rolasse.

Dante achou que não ia adiantar muita coisa, que João não ia ouvir, que não tinha a menor chance de fazer com que ele mudasse de ideia, que nunca ia conseguir convencer ele de voltar atrás, mas que podia ir até lá e tentar bater um papo, sem problemas, que faria isso. Depois que João abriu a porta de má vontade, ele sentou no sofá e falou que o mundo estava uma merda mesmo, que tava foda, que nada daquilo que eles imaginavam estava acontecendo, que os muros eram mais altos do que aparentavam, que as saídas eram duras, mas que aos poucos eles iriam se encontrar, que era só ter paciência, e que João não podia esquecer que morar na rua envolvia muitos riscos, que ele precisava ter calma, pensar, ir na manha, que essa não era uma decisão pra ser tomada assim, de uma hora pra outra, só porque viu quatro pessoas fazendo sei lá o quê, que não dava pra romantizar aquelas pessoas, porque se se colocasse mesmo no lugar delas ia perceber que a vida delas não devia ser nada fácil, porque na rua tem muito sofrimento também, tem doença, tem frio, tem fome, tem violência, tem morte, e que João precisava levar isso em conta, que não estava dizendo que estava errado, longe disso, que não queria dizer o que era certo, não era isso, mas que era importante ele pensar um pouco mais, e que se olhasse com atenção veria que nem todas as portas estavam fechadas e nem todos os caminhos eram caretas ou conservadores, que nem tudo era covardia, que ele podia meter um mestradinho, por exemplo, porque curtia estudar, era inteligente, escrevia bem, que podia pensar em outros trampos, direitos humanos, redução de danos, acompanhamento terapêutico, que uma hora ia rolar algo, porque nem tudo é sistema, porque tem umas coisas massa também, trabalhar com a galera da rua, quem sabe, já que tá nessa vibe, porque tinha feito uma formação brilhante, era o craque da galera, o fora de série, a estrela da geração e ele não podia se perder.

João deu um riso irônico e disse que era pra ele se ligar e parar com esse negócio de vibe, que vibe era a puta que pariu, que não estava em vibe nenhuma, se tu quer te entregar te entrega sozinho, cara, mas não vem com esse papo cagão pra cima de mim, que aqui esse negócio não vai colar, e só sendo muito idiota pra não perceber que a academia tá encarquilhada, não saca nada do que tá acontecendo aqui e agora, não sente o drama, nunca sentiu, só fala, fala, fala e não saca nada, é pura pose, puro espetáculo, pura disputa de poder, já era, já passou, não ajuda, não atrapalha, não é nada, que fazer mestrado nesse lugar não faz o menor sentido, e esses trampos todos que tu falou são só gerenciamento da vida da galera pobre, só isso, só governo da miséria, expiação de culpa, bom-mocismo, perversão de gente rica, e eu não pedi dica pra ninguém, é melhor tu ficar na tua, que agora tu é um empresário, fica no teu casulo com tua caixa registradora, com teus amigos descolados, com as barbas falsas imitando os comunas, com essas camisas de flanela compradas a peso de ouro, e encerrou falando que não queria pedir duas vezes pra Dante sair e abriu a porta. Dante se levantou assustado, disse que tudo bem, que não ia insistir em nada, pediu desculpas pela intromissão, que ficava chateado, preocupado, que gostava muito dele e não queria que ele se perdesse, mas que também não ia amarrar ele numa cadeira, não ia proibir, não ia fazer nada, que todo mundo já é bem grandinho e tem que saber de si, e João respondeu que era isso mesmo, e depois que Dante partiu sem nem um abraço, um aperto de mãos ou um tapinha no ombro, João foi para o quarto, montou a mochila, cuecas, calças, meias, camisas, blusão, jaqueta, toalha, escova de dentes, xampu, sabonete, garrafinha de água, fechou a porta do apartamento, desceu as escadas e foi.

PELÍCULA

1.
A primeira proposta que Dante fez aos sócios foi criar um blog chamado Repertório de sonhos, um blog em que as pessoas poderiam incluir seus sonhos anônimos, e com esses sonhos a empresa iria construir uma espécie de colcha de retalhos comunal, bonita, conectada, impessoal, uma colcha de retalhos dos sonhos do nosso presente, porque, como disse na apresentação da ideia aos sócios, no mesmo café em que se encontraram na primeira reunião, uma vida sem sonhos é uma vida sem futuro, e uma vida sem futuro não é vida, porque uma vida sem utopia não é vida, afinal de contas, porque os sonhos são a via régia de acesso ao inconsciente, disse Freud, porque o desejo é coletivo, disseram Deleuze e Guattari, porque a conexão do desejo com a realidade é revolucionária, disse Foucault, e porque a revolução é alegre, disse Espinosa, e afinal de contas era isso que eles todos queriam com aquela empreitada, disse Dante, uma revolução alegre, e sem sonhos ninguém faz uma revolução alegre.

E aquilo seria uma espécie inovadora, radical e cotidiana de fábrica utópica, uma espécie de kibutz do inconsciente, e puxando um pouco a brasa pro seu assado, uma espécie inovadora de clínica também, porque as pessoas que estivessem mais tristes poderiam se contagiar um pouco, sair um pouco da fossa, sair da lama e reencontrar as possibilidades de um mundo melhor, mais vivo, mais interessante, e as pessoas que já estivessem bem ficariam ainda melhores ao encontrar as belezas que outras cabeças criavam enquanto dormiam, numa espécie radical de clínica que não dependeria mais dos consultórios, das poltronas e dos divãs, daquelas coisas absurdamente individuais e burguesas que eram um legado do mundo vitoriano em que a psicanálise foi inventada e das quais já havia passado a hora de se desgrudar, e o melhor é que isso não teria fim, porque as pessoas não param nunca de sonhar, são muitas pessoas no mundo, mais de sete bilhões, e elas sonham mais de um sonho todos os dias, esses sonhos podem se conectar de infinitas maneiras.

Um dos sócios disse que isso era maravilhoso, que era ótimo, que esses sonhos e essas conexões poderiam gerar muitos acessos, e esses muitos acessos interessariam aos patrocinadores, e os patrocinadores interessariam à empresa, num jogo em que todos sairiam ganhando, um jogo de soma não zero, conforme as bases da Teoria dos jogos, a teoria que embasava as diretrizes éticas da empresa, que dava o norte moral de todas as ações que produziriam, porque a empresa deveria estar mais para o frescobol do que para o tênis, porque a bolinha no ar deveria ser a vitória de todos, diferente da bolinha no chão que era o ponto de um e o lamento de outro, e que ali ninguém deveria se lamentar, porque o ideal era um mundo em que ninguém tivesse que se lamentar, porque no mundo ideal o ponto de um era o ponto de todos, e era essa a tarefa deles, fazer coisas em que o ponto de um fosse o ponto de todos.

2.
Mesmo que os guris achassem que era uma baita sacada, que Dante tinha pegado bem, que a ideia era boa, inteligente, singular, que a intenção da empresa era essa mesma, que o ponto de um fosse o ponto de todos, e que já no dia seguinte tivessem feito tudo o que tinha que ser feito pro projeto ser colocado em prática, layout, contatos com possíveis anunciantes, divulgação, não demorou muito para se desfazerem de tudo isso, frustrados com a meia dúzia de sonhos inseridos na plataforma por familiares e amigos que queriam incentivar a empreitada e com as pouquíssimas visualizações que diminuíam a cada dia, porque a ausência metafísica de futuro é o que se apresenta em nossas almas e em nossos corações, nós que já sabemos que os Jetsons eram um equívoco, nós que nunca filmamos odisseias no espaço, nós que não andaremos jamais em um expresso 2222 que parte direto de Bonsucesso pra depois, nós que antes sonhávamos e agora já nem dormimos, nós que nunca entenderemos o significado da palavra depois, nós que já não imaginamos um mundo por vir, nós que temos muito mais pesadelos do que sonhos bons, como Dante escreveu num e-mail sombrio e formal pros sócios quando todos concordaram que era hora de desistir daquele projeto, que aquilo não iria pra frente, que era melhor admitir o fracasso do que seguir colocando energia em uma tentativa que era óbvio que tinha dado errado.

3.
Animado com o salto que tinha dado, com aquele rasgão nos costumes, com a ultrapassagem dos pró-

prios limites, sentindo de volta ao corpo a energia que tinha sido sugada no período em que ficou entocado, com raiva, decepcionado, frustrado com o jeito como as coisas vinham acontecendo pra ele e pros amigos, não demorou muito pra que João ficasse a fim de encontrar a galera de novo, até porque achava que talvez tivesse exagerado no rigor, porque talvez não pudesse exigir demais das pessoas, porque a vida era difícil mesmo, porque a vida era assustadora em alguns momentos, e na verdade não tinha nada de mais naquilo que estavam fazendo, cada qual do seu modo, enfrentando o monstro como dava, pegando o touro à unha, dando um jeito, se virando, ganhando um troco aqui e outro ali, se encaixando como conseguiam.

Quando João chegou no bar do Rossi pro aniversário de um deles, depois de cumprimentarem com beijos e abraços, todos disseram que ele estava com uma cara ótima, que fazia tempo que não viam ele tão bem, que tava alegre, que tava forte, que tava leve, e disseram conta, cara, como é isso de morar na rua, e perguntaram várias coisas meio que ao mesmo tempo, se era de boa, se não tinha medo, se não era muito difícil, se não era muito diferente, se era muito perrengue, se estava curtindo, enfim, que estavam com saudades e queriam que ele falasse absolutamente tudo, e ele respondeu que ainda estava muito no começo, que eram só vinte dias, que ainda tinha que se acostumar com muita coisa, que ainda sentia medo de várias paradas, sim, de ser roubado, do frio, de qualquer coisa que se mexesse à noite, medo de outros moradores de rua, medo de ataque da polícia, medo de sei lá o quê, do escuro, de um arbusto, de um fio de luz solto, de um barulho qualquer, mas que isso era normal, que tinha plena consciência de que isso fazia parte do processo, que estava ótimo, que era preciso se desintoxicar de vinte e poucos anos vividos entre quatro paredes, mas que aquela sensação de liberdade era uma coisa muito boa e que já podia dizer sem medo de errar que todo mundo devia experimentar aquilo em algum momento.

E depois de dar um gole na cerveja, perguntou se eles sabiam o que era a tensão superficial da água, e ninguém fazia a menor ideia do que fosse aquilo, e alguém disse lá vem, e outra pessoa disse fala logo, cara, que porra é essa?, e depois de fazer uma pausa dramática com mais um gole de cerveja e sorrir do jeito meio prepotente que todo mundo conhecia, João disse aula de física, terceiro ano do segundo grau, tensão superficial é aquilo que faz com que se forme uma película fina na superfície da água ou de qualquer outro líquido, uma coisinha bem fininha, uma camadinha de nada, mas que meio que segura a água, tá ligado?, é tipo um limite que dá forma à água, e que tinha perguntado se eles sabiam o que era porque sentia que estava preso por uma coisa parecida com essa, que queria sair fora, que queria arrebentar, que queria estourar, que queria vazar e não conseguia, que era meio que uma água presa à própria forma, e que isso era muito angustiante, mas quando percebeu que o que prendia ele nessa forma era uma parada bem fininha, só uma película, só uma camadinha de nada, que não era um bicho de sete cabeças, quando se deu conta disso não foi difícil sair, e saiu mesmo, e João falava isso com orgulho dele mesmo, contente com o movimento que tinha feito, sorridente, seguro, professoral, e ver ele assim, animado, marrentinho e falante de novo deixava todo mundo feliz também, porque era ótimo ter aquele cara de novo por perto, conversando, tomando uma cerveja, contando coisas, brindando, brincando e cantando parabéns a você.

4.

E João disse que mesmo que não quisesse, não parava de lembrar que o pai, implicando mais com a esposa do que com o filho, aquela implicância que vinha desde a juventude, que era uma implicância de grupo, a luta armada contra a esquerda caviar, as canções de protesto contra os tropicalistas, Geraldo Vandré contra Caetano Veloso, aquela rixa toda, o pai dizia que todos os hippies acham que são o centro do mundo, aquele papo de chakra do umbigo, olho grego, filtro de sonhos, esse tipo de coisa, e, como centro do mundo que acham que são, pensam que podem ser acometidos por todas as coisas boas e por todas as coisas más do universo, e que odiava admitir que era um pouco assim que se sentia nos primeiros dias na rua, com medo de muita coisa, medo do crack, do frio, medo de ladrão, medo de outros moradores de rua, medo de ataque da polícia, mas também muito animado com um monte de outras coisas, com os mil encontros, os cheiros, as surpresas, animado com todas as maravilhas, ensinamentos e descobertas que só a rua era capaz de oferecer.

Recebia a mesada do pai, sacava grana, tinha a chave de casa, passava no apartamento pelo menos duas vezes por semana, abria as janelas, arejava os armários, regava as plantas, usava as roupas de sempre, mantinha o celular sempre junto, um aparelho grande da Motorola que carregava nos restaurantes onde comia arroz, feijão, carne e salada e tomava suco de laranja, encontrava Maria, dormia na casa dela, tomava banho, lavava e secava as roupas, usava os travesseiros, os edredons e as toalhas limpas, e dizia pra namorada que não estava na rua porque queria a miséria, que a miséria era um dos problemas do mundo e não queria aumentar os problemas de um mundo que já tinha problemas demais, que não tinha ido pra rua porque era franciscano, religioso, culpado, que não queria sofrimento, autoimolação, dar chicotadas nas próprias costas, o que queria era a liberdade, ficar on the road na cidade, ser meio que um easy rider urbano, que o que queria era o fim de uma vida privada, uma vida privada em todos os sentidos, uma vida particular, uma vida restrita, uma vida de merda, e era isso que estava fazendo, e que precisava confessar que estava muito feliz com isso.

5.

Quando conseguiram ficar um pouco sozinhos no canto do bar, os dois já bêbados, no começo da madrugada, depois que muita gente tinha ido embora, Dante disse que João era uma das pessoas mais importantes pra ele na vida, que era um espelho, que era um irmão, alguém com quem já tinha aprendido muito e ainda iria aprender muito mais, alguém com quem ele não queria deixar de seguir convivendo, e ter ele forte e presente por perto era a melhor coisa que poderia ocorrer, e que eram um alívio e uma felicidade enormes sentir que agora tudo estava muito diferente daqueles últimos encontros que tinham sido tão amargos, tão tortos, estranhos, discordantes, e João sorriu, disse que também queria ele sempre por perto, e os dois beberam até o meio da madrugada e conversaram sobre a rua, sobre a empresa, sobre o blog dos sonhos, sobre as incertezas, sobre a vida, até se despedirem com um abraço longo e um até a próxima antes de João se atirar em um canto da Rua da República e Dante voltar pra casa dirigindo o Jeep do pai.

6.

Três dias depois, os dois trocaram mensagens pelo celular e combinaram de se encontrar no Tudo pelo Social pra comer um bife à parmegiana com fritas, tomar uma cervejinha e conversar um pouco, porque na outra noite tinha sido massa, ótimo, que tinha rolado matar um pouco a saudade, que até tinham conseguido se falar um pouco mais na finaleira, mas a maior parte do tempo tinha sido com toda a galera, todo mundo em cima, um milhão de conversas cruzadas, muita informação, muito barulho, aquela coisa de sempre do Rossi, e ia ser bom trocarem uma ideia mais de boa só os dois.

Os dois chegaram quase ao mesmo tempo, e assim que sentaram à mesa grudada na parede onde costumavam sentar, chamaram o garçom e fizeram o pedido sem nem olhar o cardápio, porque era óbvio que iam querer o mesmo de sempre, ninguém tinha dúvida disso, nem era preciso perguntar, ia ser o bifão e a Polar bem gelada que pediram nas dezenas de vezes que tinham ido lá, e depois de um brinde sem palavras e os primeiros goles na cerveja, João disse que antes de qualquer coisa queria dizer uma coisa que não tinha dito no Rossi, que queria pedir desculpas por ter sido agressivo demais com Dante, que não precisava daquilo tudo, que tinha exagerado, pegado pesado demais, que devia confiar mais nele, que Dante devia saber o que estava fazendo, onde estava se metendo, e que tinha certeza que o amigo não ia se vender, e que talvez até tivesse razão, que talvez fosse possível mesmo mudar um pouco a cabeça daqueles manés e fazer coisas bacanas, e que sabia que quando tinha ido no apartamento conversar com ele só queria ajudar, mas que tinha precisado ser muito firme não só com Dante, mas com Maria e com os pais também, e até com ele mesmo, sabe?, porque se hesitasse um pouco tinha grandes chances de amarelar, voltar atrás, cagar no patê, e sabia que não podia fazer isso, porque se fizesse isso ia ficar muito mal, se achando fraco, medroso, uma fraude, que não queria nem pensar no que poderia fazer se arregasse.

Dante disse que ficava aliviado de ouvir aquilo, mas que João não precisava pedir desculpas, que entendia que o amigo tinha precisado ser rude, ser grosso, ser firme, que se não fosse desse jeito não ia rolar mesmo, que essas coisas são assim, que a tensão superficial da água é uma película fininha, mas isso não significa que seja fácil de romper, e que bom que não tinha conseguido convencer ele a não ir pra rua, vai saber o que ele era capaz de fazer, imagina, daqui um tempo chega a notícia de que um jovem morador do Bom Fim se jogou da sacada de casa e morreu, olha a culpa que eu ia ficar, já pensou?, e os dois riram, e que era muito bom perceber que tudo estava bem mais uma vez, porque João era mesmo diferente, mais corajoso, mais louco, porque ele era o dínamo da turma, o craque, a estrela da geração, que ficava muito feliz de estarem próximos de novo, que era um alívio, e contou que a parada da empresa andava meio lenta, que tinham montado só aquele projeto dos sonhos que tinha comentado lá no Rossi, que como ele tinha dito, não tinha dado muito certo, que pra ser sincero tinha dado muito errado, não tinha dado liga mesmo, o troço simplesmente não aconteceu, uma pena, porque a ideia parecia tri boa, que depois disso não tinham mais nada em mente, que tudo estava em stand-by, que ainda tinha sérias dúvidas se aquilo ia vingar mesmo, que era meio estranho, tudo muito solto, sem compromisso, sem agenda, sem prazo, sem direção, que os guris só deixavam rolar, e que ia ver como ficava, que se as coisas não andassem em breve ia pedir o boné e ver outra coisa pra fazer, porque se era pra ficar parado em casa era melhor arranjar outra coisa.

João disse que sim, que ficar parado em casa não era nada, que já tinha dado daquilo, e contou um pouco mais sobre a vida na rua, os trajetos que fazia, quantos quilômetros andava por dia, como era encontrar os conhecidos por acaso, que ainda não tinha feito nenhum amigo, só trocado ideia com uma galera, que tinha muita gente legal, que nem todo mundo tava na rua por necessidade, que muita gente tinha escolhido morar na rua, que achava isso tri interessante, que tinha umas histórias iradas, e contou algumas passagens que tinha vivido, contatos rápidos, cenas inusitadas, sensações, e Dante disse que sim, que aquilo era incrível, que mais gente devia saber aquelas coisas, que aquelas histórias tinham que ser narradas por alguém, se não ficavam restritas só àquelas pessoas, e não deveria ser assim, e João concordou, porque todo mundo tinha uma noção estereotipada daquelas pessoas, porque parece que ninguém sabe das coisas que acontecem na rua, e as pessoas colocam todo mundo num bloco único, tipo, dizem assim, os moradores de rua, mas os moradores de rua eram pessoas muito diferentes entre si, com dores, com alegrias, com gostos, com escolhas, com dramas muito diferentes uns dos outros, enfim, como todo mundo, é gente sendo gente, e Dante concordou que era isso mesmo, que essa categorização era muito preconceituosa, que encaixava todo mundo numa coisa só, e sempre que se encaixava todo mundo numa coisa só era meio estranho, e depois falaram sobre futebol, sobre cinema, sobre música, sobre política, sobre as coisas que sempre conversaram, até o garçom dizer que se quisessem podia trazer a última cerveja por conta da casa, mas que em breve ia ter de encerrar porque já tinha até passado da hora e tinha que fechar a casa.

7.
Menos de uma semana depois os dois já estavam juntos de novo, cada um com seu xis do Cavanhas na mão, João com um de coração, Dante com um de bacon, os copos cheios de Polar, ambos animados, próximos, entrosados, e João contou que estava se sentindo um bebê que aprendia a ficar sentado, depois aprendia a engatinhar, depois a ficar de pé, depois a andar, que tudo era muito novo, que era todo um outro mundo que estava se abrindo, que na rua era tudo diferente do que ele tinha vivido até ali, regras diferentes, códigos diferentes, leis diferentes, que era um desafio irado, que a adrenalina era incrível, que era um ensinamento atrás do outro, que em algumas semanas tinha aprendido mais do que em muitos anos, que dois dias atrás tinha comido um rango feito na rua pela primeira vez,

panelinha velha, fogareirozinho, aquela coisa clássica, que tinha sido irado, que tinha comprado uns pacotes de miojo e oferecido pra uma galerinha que ficava ali perto do Largo da Epatur, que o pessoal tinha curtido, que sentiu que eles tinham confiado nele, que tinha sido bom, que o rango era bom, que já fazia mais de uma semana que não comprava mais água, que tinha uma garrafa plástica de um litro e meio que pedia pra encher nos bares e que ninguém negava, que tinha um monte de treta na rua, que quando sumia alguma coisa era um furdunço, um gritedo brabo, todo mundo se acusando, foi fulano, não fui eu, não, foi beltrano, e era engraçado que no dia seguinte alguém aparecia usando na maior cara de pau a coisa que tinha sumido, um moletom, uma touca, um chinelo, coisas assim, que achava divertido, mas esperava que não acontecesse com ele, que dormia sempre com a cabeça deitada na mochila, que a mochila tinha um cadeado e que a chave ficava na cueca, que ainda não tinha conseguido dormir uma noite inteira sem acordar, que ficava sempre meio vigilante, aquela atenção difusa sempre ligada, que nos primeiros dias só dormia de dia, mas que aos poucos ia relaxando mais, se acostumando com os ruídos, com o barulho das casas, com o barulho da rua, com o movimento, com tudo aquilo, que aos poucos ia pegando a manha, que tava mais autônomo, que nem tinha tanto mistério assim, que era só uma questão de costume, e que tava satisfeito com o que tinha aprendido nesses dias, pouco mais de um mês ainda e já era bastante coisa, e que achava que a tendência era melhorar pouco a pouco.

8.

Quando a porta pantográfica do Cavanhas fechou, eles tomavam um restinho de cerveja morna em copos de plástico na calçada em frente ao restaurante. João disse que tinha um baseado muito bom, que tinha pego com um contato forte na Bom Jesus, que a galera tá chamando aquele tipo de maconha de clone, tá ligado?, porque é maconha transgênica, produzida em laboratório, programada pra chapar, e tem essa parada dessa novela que tem esses gêmeos que foram clonados, e por isso ficou com esse nome, e perguntou se Dante queria dar uns pegas. Dante disse que não gostava de fumar quando dirigia, que quando tava bêbado até que se virava bem, que não tinha galho, que era só sentar no banco do motorista e ligar o carro que ficava zero bala, mas que chapado se atrapalhava um pouco, que perdia um pouco a noção do tempo e do espaço, que ia pra muito longe, que era ruim, que ficava meio paranoico, mas que ia abrir uma exceção porque era um convite muito especial, porque fazia muito tempo que não fumavam um baseadinho juntos, que pilhava de dar um dois, sim.

Os dois foram até a esquina da República com a Sofia Veloso e pararam debaixo de um guapuruvu que bloqueava a luz do poste. Depois de dar o primeiro pega, tragar fundo e segurar a fumaça no peito por um tempo, Dante disse que não sabia por que, talvez porque estavam os dois ali sozinhos, meio escondidos, parecendo dois adolescentes, mas que tinha se lembrado da primeira vez que tinha usado droga, que a primeira droga que usou não foi maconha, foi lança-perfume nos cômoros de Atlântida numa noite de carnaval junto com um colega de colégio, que estava morrendo de medo, que não sabia o que ia rolar, que não sabia se queria mesmo, e que empapou a camisa laranja do Bloco dos Fantasmas rasgada na gola e nas mangas, colocou o tecido na boca e sugou, e logo depois ouviu uma sineta, sentiu o corpo amolecer, pensou que ia morrer e apagou, e nem sabe quanto tempo ficou atirado na areia, pouco cá e pouco lá, fazendo um esforço danado pra voltar, pra mexer o corpo, pra pensar algo diferente do que conseguia pensar, que era quero voltar, quero voltar, quero voltar, até que voltou, e quando acordou viu que tinha ficado cheio de areia e um pouco tonto, com muita dor de cabeça, e o amigo estava morrendo de rir, achando tudo aquilo muito engraçado, e ele não via graça nenhuma, não tinha curtido nem um pouco aquela sineta, a tontura, apagar, a areia grudada no corpo, e se sentiu culpado por ter cheirado lança pela primeira vez, porque ficava com medo de se viciar, de que fosse a porta de entrada pra outras drogas, porque ficava com medo que quando voltasse pra casa os pais descobrissem e ficassem ou brabos ou decepcionados, sei lá, cara, não foi uma experiência boa, e que a primeira vez que deu uns pegas foi com João, lá no comecinho da facul, que tinha ficado com vergonha de dizer que nunca tinha fumado, que achou que João ia achar que ele era um guri de apê, que ele ficava muito preocupado com isso no início, com o que João ia pensar dele, com o que a galera ia pensar dele, mas que tinha sido aquela vez aqui mesmo na Cidade Baixa, lembra?, que tinha ficado com muito medo de ser preso, que fumou e ficou meio longe da rodinha, que ficou insistindo pra partirem logo, e que sempre que fumava lembrava de João, que sabia que ele já sabia disso, mas que não custava repetir que João era uma pessoa muito importante pra ele, que tinha aprendido muitas coisas sobre a vida com ele, que agradecia muito por terem se encontrado e se tornado amigos, que não sabe o que seria dele sem isso, e os dois se abraçaram e disseram que se admiravam muito, que não podiam se perder mesmo que as vidas tomassem rumos diferentes, que tinham que lembrar disso pra sempre, e que não podiam esquecer disso nunca, porque aquela parceria era pra sempre.

O RESTO

1.
Na reunião que pediu porque achava que tinha tido uma ideia interessante, melhor do que aquela dos sonhos, que tinha mais chances de dar certo, uma ideia mais arriscada, mas que se desse certo seria muito bom, e achava que tinha tudo pra dar pé, Dante falou com empolgação do sucesso do Big Brother, dos milhões de olhos cravados na televisão, do Brasil inteiro atento àquelas câmeras todas, dos telespectadores querendo saber quem pegou quem, quem brigou com quem, quem está só jogando, quem é verdadeiro, das torcidas, dos ódios, dos textos do Bial, da ansiedade das votações, da quantidade bizarra de pessoas que se prestavam a ligar pra decidir quem seria eliminado, que não adiantava olhar pro lado, disfarçar, se fazer de loucos, se fazer de desentendidos, que todo mundo ali naquela mesa sabia do que ele tava falando, que todo mundo ali sabia que o Bambam tinha chorado porque levaram a boneca Maria Eugênia embora da casa, que todo mundo sabia quem era o Thirso, quem era o Dhomini, quem era a Sabrina Sato, o Jean Wyllys, que todo mundo tinha acompanhado a Casa dos Artistas também, o Frota, o Supla, a Bárbara Paz, que todo mundo tinha visto as pessoas comendo insetos, se perdendo no mato, andando quilômetros na areia fofa e todas aquelas maluquices do No limite, o Zeca Camargo, a Elaine, a Pipa, que a Pipa inclusive trabalhava ali perto, no Sanduíche Voador,

que era óbvio que aquilo era fogo de palha, que era óbvio que aquilo não ia durar, mas não podiam negar que era um fenômeno importante daqueles tempos, tipo O show de Truman, tá ligado?, que não dava pra ignorar aquilo, e que o que queria propor era uma espécie de aproximação com aquele fenômeno de massa, uma espécie de aproximação com aquela curiosidade coletiva, com aquele voyeurismo, com aquele ver sem ser visto, mas uma aproximação, é claro, mais sofisticada, mais descolada, mais afinada ao público que queriam alcançar, e, óbvio, muito mais implicada politicamente.

2.

Porque a ideia era colocar em cena uma causa muito importante e pouco discutida pela sociedade, a causa dos moradores de rua. As andanças, o frio, a fome, o preconceito, a desigualdade social, a violência, a rede de solidariedade, as parcerias, as astúcias, as alegrias, tudo, absolutamente tudo estaria lá. Porque Dante tinha um amigo que tinha ido morar na rua, um grande parceiro de faculdade, um cara genial do qual eles provavelmente já tinham ouvido falar, e não tinha a menor dúvida de que relatar essa vida tão distante, tão misteriosa, tão fora dos padrões que é a vida na rua seria fantástico pra todo mundo, aprender sobre aquilo, se informar, abrir os horizontes, romper preconceitos, sair dos seus quadrados. E por tudo isso tinha certeza que um blog que narrasse a experiência de João na rua seria top de visualizações, pois todos iriam querer saber como era a vida do rapaz rebelde de classe média, bonito, saudável, inteligente, com namorada, cheio de amigos, psicólogo recém-formado, que ousou largar todo o conforto de um lar e todo o futuro de uma profissão pra se aventurar na liberdade da vida sem paredes e sem proteções que era a vida na rua.

 E antes que perguntassem se não estaria abusando do parceiro, Dante disse que João era um artista da existência, um cara brilhante, interessantíssimo, e que merecia ter sua vida registrada, divulgada e compartilhada pro maior número de pessoas, porque todo mundo deveria conhecer aquele cara, o cara mais inteligente que ele já conheceu, o cara mais radical de toda a geração, e que poderiam usar a empresa pra fazer com que as ideias dele fossem disseminadas numa escala muito maior do que o mundinho dos amigos, do que as rodinhas da faculdade, do que aquela coisa pequena dos amigos e dos amigos dos amigos, e era isso o que mais queria, porque ele mesmo havia se encantado com João assim que o conheceu, já no primeiro dia de aula, um dia que jamais esqueceria, um dia do qual se lembrava como se fosse ontem, um dia que havia mudado a sua vida, e não podiam ser mesquinhos de não deixar que outras pessoas também fossem impactadas pela vida daquele cara que agora dava o salto mais corajoso da sua vida, desprendido de todos os valores, sem as seguranças com que todos viviam, e o que queria era fazer com que todos conhecessem a trajetória singular daquele guri que era a estrela daquela geração, simples assim, e a ideia era essa, criar um blog em que essa vida encantadora pudesse ser apresentada ao maior número possível de pessoas.

3.
Mesmo um pouco desconfiados com aquela proposta inusitada, os sócios acharam que valia a pena pagar

pra ver. Tudo bem que o projeto dos sonhos não tinha dado certo, mas eles estavam parados, sem nenhuma ideia melhor, e concordaram que não tinha por que não testar. No dia seguinte, montaram um blog com um design clean, estiloso e sóbrio, com uma imagem de fundo com uma cidade de ruas frenéticas, que podia ser de qualquer metrópole do mundo, sem nenhuma identificação específica, um táxi, um monumento, uma placa de rua, nada, escreveram um texto dizendo que contariam ali uma história que todos deveriam conhecer, deram um nome simples, direto, clichê, o mais fácil possível, ruareal.wordpress.com, colaram o link no e-mail ruareal@hotmail.com, adicionaram todos os contatos possíveis, uma lista longa de endereços eletrônicos com familiares, amigos, amigos de amigos, empresas, professores, e enviaram com a primeira postagem que dizia que o blog era escrito por um jovem de classe média recém-formado em Psicologia que decidiu viver na rua, e que a partir daquele momento aquele seria o seu canal de comunicação, onde postaria novidades, reflexões, as dores e as delícias da urbe, e que esperava que todos curtissem.

4.

Em poucas horas começaram a chegar mensagens dizendo que ele era foda, que era corajoso, que aquele experimento era sensacional, que lembrava um pesquisador de mestrado que tinha se disfarçado de gari por um tempo pra denunciar como essas pessoas são invisíveis pro restante da sociedade e que a invisibilidade dos moradores de rua também precisava ser denunciada, que essa era uma das principais chagas da nossa sociedade, uma chaga jamais enfrentada a sério pelos governantes, algumas mensagens preocupadas, sugerindo que se quisesse conversar estavam à disposição, perguntando se estava tudo bem, perguntando por que ele tinha feito aquilo, que tinha que ter alguma razão pra tomar uma atitude drástica como aquela, indagando se ele não estava se arriscando demais, correndo riscos à toa, mensagens pedindo que mandasse notícias, muita gente se inteirando da situação, muita gente compartilhando, enviando pra mais contatos, espalhando a novidade, o número de visualizações subindo no contador que ficava no canto inferior direito da página.

5.
Cinco dias depois, todos os contatos receberam o link pra postagem que dizia que João tinha passado a madrugada inteira caminhando pelo Moinhos de Vento, subindo e descendo ladeira, Doutor Timóteo, Quintino, Bordini, que não viu nenhum morador de rua por ali, que esperava fazer amigos em breve e que ia aproveitar o sol pra dormir em algum banco do Parcão, beijos e abraços pra todos.

6.
Pra quem não sabe, muita gente deixa comida pendurada em saquinhos nas grades das casas e dos edifícios pros moradores de rua, e essa comida é conhecida pela galera como macaquinho. Tem muita coisa boa, muita comida feita com carinho, com cuidado, com amor, comida saudável, com nutriente, arroz, feijão, massa, carne, salada, essas coisas.

Mas na Getúlio Vargas, lá perto da Ipiranga, teve alguém que colocou cacos de vidro bem moído no meio do rango, e teve gente que comeu a parada, que rasgou a bochecha, que rasgou a garganta, que foi parar na emergência da Santa Casa e que podia até morrer, porque os cacos de vidro já estavam no estômago e no intestino.

Não dá pra entender por que tanta maldade. Isso é um absurdo, é muito indignante, isso não pode acontecer. Abraços, João.

7.
O guardinha da rua me acordou e falou que já tinha dito que não era pra dormir ali e que não era de avisar duas vezes. Eu disse que não ia dormir ali, que tava só descansando, porque mais tarde o pessoal da ONG ia trazer a janta e eu queria comer. Ele respondeu que era pago pra cuidar da região, que não queria perder o emprego, e que se eu não quisesse acordar com uma bala na cabeça não era mais pra dormir naquelas bandas.

Eu insisti que estava com fome e ia esperar o pessoal da ONG trazer a comida, mas ele falou que eu tava abusando e que não ia falar de novo. Eu me levantei, peguei meu celular e liguei pra polícia. Quando a polícia chegou, eu expliquei que o cara tava ameaçando me dar um tiro na cabeça, e o policial falou que isso não ia acontecer, mas era pra eu pegar a janta e rapar fora. Quando o pessoal da ONG chegou, eu peguei minha janta, comi e saí dali pra não me incomodar.

8.

Hoje fiz minha primeira amizade na rua. Tava andando pela Cidade Baixa no começo da noite e vi um cara encostado numa marquise, sentado em cima de um pedaço de papelão. Ele pareceu ser bem tranquilo, e eu parei perto dele e puxei papo. O nome dele é Juninho, ele é baiano de Irecê, no sertãozão da Bahia, e tem onze irmãos, seis homens e cinco mulheres, todos com família, uns morando em Salvador, outros em São Paulo. Ele me recebeu súper bem, ofereceu um pedaço do papelão, disse pra eu dormir por ali que era sossegado, que ninguém incomodava. Disse que já foi jogador de futebol, que era lateral-direito e jogou na Ponte Preta entre 1991 e 1994, e me mostrou as canelas cheias de cicatrizes, porque naquela época o pessoal colocava até uns pregos na chuteira pra jogar e só ficava feliz quando via o sangue escorrendo. Ele disse que curtiu muito a vida e gastou muita grana, mas que agora estava sem nada, mas não tinha dívida com ninguém, tinha o nome limpo e nunca tinha feito nada de errado, não tinha usado nenhuma droga, nada, e que estava naquela situação porque tinha abusado mesmo, e que tinha que aguentar no osso do peito.

9.

Ontem à noite, na Ponte dos Açorianos, onde tantas vezes passei com meu pai na infância depois de ir na Cambial comprar filme pra máquina fotográfica depois de ir no Seguésio ver os bichos e na Banca 40 do Mercado comer salada de frutas com sorvete, quando eu já estava quase dormindo ouvi um guri de onze ou doze anos gritando e chorando e correndo pro lado onde eu e os meus amigos estávamos. Eu fiquei meio apavorado, levantei no susto e perguntei o que estava acontecendo, e a criança falou que tinha um cara querendo estrupar, querendo fazer que nem se ele fosse uma mulher, e eu e os meus amigos fomos ver o que era, e meus amigos queriam espancar o cara, porque estupro é proibido, e estupro de criança é ainda pior, quem faz isso paga todos os pecados, e eles pegaram umas pedras no chão pra jogar no cara, e o cara saiu correndo dali pra não ser linchado.

10.

Com as visualizações e os comentários aumentando, uma empresa de turismo e uma empreiteira de uns amigos dos pais de um dos sócios começaram a patrocinar o blog, e quando um deles foi pedir um brinde no happy hour em que comemoravam o primeiro dinheiro que tinha entrado na conta da empresa e disse um brinde ao ruareal e um brinde à empresa, eles perceberam que nunca tinham pensado em um nome de verdade pra parada. Depois de rirem de si mesmos por terem esquecido desse pequeno detalhe e de fazerem um brinde à empresa sem nome, um deles disse que o negócio era sério, que precisavam de um nome pra ontem, que não podiam postergar, que não podiam deixar pra amanhã. Todo mundo concordou que precisavam, sim, e que era uma boa hora pra criar e decidir, que o álcool e a empolgação iam ser ótimos conselheiros. Depois de alguns segundos de silêncio, pipocaram meio que ao mesmo tempo uma dúzia de péssimas ideias, Do café, Cafeína, cafénarede, Ideias em rede, Ideias na rede, RedeMundo, Blogmundo, coisas assim, e um deles perguntou por que é que não simplificavam as coisas e davam o nome de ruareal, um nome que já estava pegando, que podiam usar o nome do produto que estava dando certo, o nome do primeiro produto deles, mas outro respondeu que justamente porque era o nome de um produto é que não era bom ser o nome da empresa, porque isso poderia ser um empecilho pra eles no futuro, porque podia impedir que fossem conhecidos também por outros produtos, e todos concordaram.

Os quatro ficaram em silêncio mais uma vez até que Dante disse que tinha uma sugestão e queria ver o que os outros achavam, que aos poucos tinha entendido que o que queriam fazer era um mundo melhor a partir das bordas do sistema, um mundo sem centro, que a parada dos sonhos era isso, que o blog era isso, a criação de um mundo onde coubessem todas as vidas, as vidas marginais, as vidas na rua, um mundo que começava na periferia, um mundo onde tudo seria borda, e por isso queria propor que o nome da empresa fosse The edge paradise, o paraíso na borda, o paraíso limiar, que era um nome fácil de gravar, sonoro e com uma mensagem interessante. Um dos guris disse que até curtia a ideia, mas talvez paraíso fosse uma parada muito religiosa, próxima do éden, da bíblia, do fruto proibido, de Adão, de Eva, da costela, da serpente, da maçã, dessas coisas todas, e que achava que isso não tinha muito a ver com eles. Dante disse que entendia o que ele dizia, mas que não necessariamente o paraíso remetia a algo religioso, que quando o Sartre disse que o inferno são os outros não era um inferno religioso, porque o Sartre era ateu, que quando escreveu Uma estação no inferno, não era ao inferno religioso que o Rimbaud se referia, que se eles queriam um exemplo mais fácil, quando o Roberto Carlos cantava que queria que tudo fosse pro inferno, não estava necessariamente falando de um lugar quente debaixo da terra onde mora o diabo e pra onde vão os pecadores depois que morrem, e que o paraíso também podia ser assim, tipo o Estranhos no paraíso, do Jim Jarmusch, tipo os dois passos do paraíso, da Blitz, era um outro paraíso, que pra eles o paraíso era uma tarefa, um trabalho, que podiam inclusive escrever com minúsculas pra não remeter ao paraíso bíblico, e todos concordaram e disseram que então era isso, pediram mais uma rodada e fizeram um brinde a The edge paradise.

11.

Quando uma guria simpática e sorridente, de cabelos cacheados na altura do ombro, saia azul pelos joelhos, batinha branca e rasteirinha de couro marrom parou ao lado de João, deu oi, pediu licença, desejou boa tarde e perguntou se podia conversar com ele, João falou que era pra ela ficar à vontade, que podia puxar uma cadeira e sentar, que podia puxar o papo que quisesse, e a guria sorriu, agradeceu, sentou no chão ao lado dele e contou que já tinham se cruzado outras vezes ali na Osvaldo Aranha, que tinha ficado curiosa com ele, que queria saber o que ele fazia durante o dia, onde dormia, por que morava na rua, há quanto tempo tava nessa, várias coisas, e nem esperou João dar qualquer resposta pra dizer que era formada em Enfermagem pela UFMG, que estava fazendo residência na Escola de Saúde Pública, que tinha chegado fazia pouco mais de um mês em Porto Alegre, que ainda não conhecia muita coisa no Sul, mas que estava curtindo o curso e a cidade, que se interessava muito pela vida na rua, que talvez esse fosse o tema da monografia dela, e convidou ele pra tomar um banho e fazer um lanche na casa que ela dividia com três colegas ali perto, na João Telles um pouco acima do Ocidente, cinco minutinhos caminhando, só subir aqui e deu.

Depois dele tomar uma chuveirada rápida e de devorarem juntos as torradas com manteiga, queijo, presunto, alface e tomarem um suco de manga com maracujá que ela fez, ela puxou João pra perto bem no meio de uma frase em que ele explicava que estava morando na rua porque não aguentava mais a mediocridade da vida normal, e os dois se beijaram um pouco na cozinha, foram pro quarto, tiraram a roupa e transaram uma transa boa, forte, longa, e ficaram um pouco ofegantes, deitados lado a lado de barriga pra cima com as cabeças nos travesseiros, ela com a mão na barriga de João, ele com os dois braços atrás da nuca. João virou a cabeça pro lado e viu o pôster colado no armário embutido de madeira, todos os tropicalistas reunidos, Caetano, Gil, Gal, Duprat, Os Mutantes, Rita, Arnaldo e Sérgio com cara de meninos, Nara, Tom Zé, o grande Tom Zé, o Capinam, o Torquato, e João elogiou o cartaz, porque essa geração foi foda, eles botaram pra quebrar, foram corajosos, entortaram tudo, a música, o Brasil, a esquerda, e disse que mesmo que o Tom Zé quase tenha precisado ser frentista em Irará, que o Gil e o Caetano amedrontem o Tom Zé, que o Caetano more numa cobertura no metro quadrado mais caro do Brasil, que o Arnaldo tenha pirado, que a Nara tenha morrido tão cedo, foram todos grandes poetas da vida, todos grandes poetas do Brasil, e vai ser difícil ter uma geração como essa no país mais uma vez.

E a guria perguntou mas e a gente, cara, o que tu acha que resta pra gente?, e João respondeu que não restava muita coisa, que a gente não tinha nem a poesia nem os poetas que aquela geração teve, que nos faltava muita coragem, que tudo isso já tinha acabado, e ela concordou, disse que isso era foda e perguntou o que ele achava que acabava antes, se a poesia ou os poetas, e ele pensou um pouco antes de responder que a poesia acabava antes dos poetas, que a poesia acabava muito antes dos poetas, e que viviam em um mundo com muitos poetas e nenhuma poesia, ou melhor, com muitos supostos poetas e nenhuma poesia, porque um poeta sem poesia não é um poeta.

Ela ficou parada com uma expressão meio triste e encostou a cabeça no ombro dele e sussurrou que aquilo era muito triste, que não deveria ser assim, que não podia ser assim, e ele disse que infelizmente era assim, que isso era um fato, e os dois ficaram em silêncio por um tempo e adormeceram aos poucos, e quando acordaram já estava escuro, e ela perguntou se ele queria passar a noite lá, que não tinha problema nenhum, que era de boa, que ela ia adorar, que podiam fazer um rango, ouvir um som, ver algum filme, e João disse que agradecia muito, que tinha sido muito bom conhecer ela, que tinha sido uma ótima tarde, que esperava que se encontrassem de novo, mas que preferia dormir na rua, que se sentia melhor assim. Ela disse que entendia, que lamentava, mas entendia, que podiam se ver outro dia, que ia ser massa, e ele respondeu que sim, que podiam se ver de novo, que estava sempre pelo bairro, que ia ser massa, e ela levou ele até a porta, eles se beijaram na bochecha, se despediram e João partiu ladeira acima em direção à Avenida Independência.

12.

Dante e os sócios produziram um vídeo simples, só com a colagem de imagens retiradas de filmes famosos e uma voz em off que pregava a diminuição imediata do consumo, que isso era fundamental pra que a vida de todos pudesse melhorar, pra que as pessoas tivessem mais tempo pras coisas que realmente importam, pra que o planeta pudesse respirar, um vídeo que criticava quem queria comprar um carro do ano, uma casa, as roupas da moda, comprar, comprar, comprar, porque vivemos numa cultura que transformou tudo em excesso, que produziu uma abundância de demandas desnecessárias, sem critérios e sem cuidado, que o planeta é a nossa casa e não um shopping center, que um ciclo vicioso fez do consumo um modo de vida, e que nosso modo de vida não pode ser o consumo, que isso tem que mudar e toda mudança precisa começar em algum momento, e o momento pra começarmos uma relação mais interessante com a natureza e com as pessoas é agora, e em poucos dias o vídeo tinha centenas de visualizações e comentários que diziam que era tudo claro como a luz do dia, que aquilo era um tapa na cara da sociedade, que os guris estavam arrebentando, que o vídeo e o blog eram maravilhosos, que aquelas ideias subversivas só poderiam mesmo ser transmitidas distantes do controle da grande mídia, que gestos como aqueles talvez fossem pequenos, mas eram fundamentais pra construção de um mundo melhor, que era ótimo ter esses parceiros de trincheira na luta contra a ganância que vinha destruindo o planeta, que iniciativas como aquela eram importantíssimas, que já estamos à espera de mais, gratidão.

13.

À uma da manhã de uma segunda-feira, João acompanhava o burburinho da multidão de jovens universitários que lotavam o bar do outro lado da rua da Praça Garibaldi, onde muita gente que tinha conhecido nos últimos tempos gostava de ficar durante a noite, porque de lá era fácil ir pro restaurante popular na Erico Verissimo, porque tinha várias rotas de fuga caso a polícia ou um playboy escroto viesse incomodar, porque tinha uns lugares mais quentinhos e mais protegidos, porque não batia muito vento, e de lá viu o bar ficar cheio de gente tranquila, sem preconceitos, gente que era legal com o pessoal que dormia por ali, que não expulsava, que não chamava os guardas, que de vez em quando oferecia uns goles de cerveja e um cigarrinho, que às vezes dava uns pila, e quando já estava quase indo se recolher, observou um rapaz que chegou de bicicleta, cumprimentou um grupinho de amigos e disse que estava sem sono e que tinha saído de casa sem falar com ninguém porque sabia que ia ter gente por lá e não ia ser burro de gastar créditos do celular à toa, porque o Garibas era certeiro, porque o Garibas não falhava, porque o Garibas era o Garibas e não tinha erro, sempre tinha uma galera conhecida por lá, que aquilo era incrível.

João atravessou a rua, se aproximou, pediu licença, perguntou se alguém podia oferecer um pouco de cerveja, e depois que uma guria serviu o copo de plástico até a metade e entregou pra ele, ele tomou um gole pequeno, disse que não era pra levarem a mal, que não queria soar implicante, que não era nada pessoal, mas que o Garibas não era nada, que o Garibas era só o ver e ser visto de sempre, passarela, papinho, pegação de gente igual, universitária, branquinha, descolada, ciências humanas e pá, nenhuma novidade, que já tinha visto aquilo algumas vezes, que aquele pico já tinha sido o Adriano, já tinha sido o Bell's, já tinha sido o Bambu's, que as pessoas escolhiam um bar qualquer e era isso, e que aquilo não tinha nada de confirmado, que o que era confirmado mesmo era o Bom Fim dos anos 80, do Ocidente, dos hippies, do teatro, da esquerda, dos punks, o Bom Fim do Escaler, do cinema, dos Replicantes, que depois daquilo não tinha acontecido mais nada na noite de Porto Alegre, que era por isso que a cidade tava naquela, que era tudo mais do mesmo, a Goethe, a Cidade Baixa, o Garibas, aquela coisa sempre igual, bebida barata e ponto de encontro, só isso.

E esse rapaz que tinha chegado todo empolgado respondeu que não era bem assim, que o Garibas tinha alguma coisa diferente, sim, que não sabia dizer bem o que, o ambiente, a rua, a praça, sei lá, mas era um pico especial, que não podia ser à toa que tanta gente ia lá, é só olhar em volta, olha bem, hoje é segunda, já é uma da matina, tá tri frio, olha essa galera toda, isso não pode ser por acaso, esse é o Garibas, cara, esse é o Garibas, e João deu uma risada meio debochada, falou vai nessa, velho, agradeceu pela cerveja, tomou mais um gole, desejou que curtissem a night no Garibas e foi pra praça dormir.

14.

João ficou envergonhado quando percebeu que a moça e o rapaz que tinham se acomodado perto dele numa viela transversal à Rua da República começaram a se mexer e fazer alguns barulhos estranhos, um gemido, um riso, uma lambida, o cobertor de feltro cinza-escuro subindo e descendo de vez em quando, um joelho aparecendo aqui, um cotovelo acolá, e ficou na dúvida se era mais educado partir ou se podia ficar por ali mesmo, e achou que se eles tinham começado mesmo sabendo que tinha gente por perto não era errado permanecer onde estava, porque eles sabiam que ele estava ali e provavelmente não se importavam de serem vistos e ouvidos, porque era lindo que o amor e o tesão brotassem ali, com os corpos a vinte centímetros do chão frio e úmido, em cima de um colchão mofado, sujo e furado, porque era muito bonito que aqueles corpos pudessem se excitar daquele jeito, sem banho, sem pente, sem perfume, sem vinho, sem vela, sem lençol de seda, sem música ambiente, porque aquilo provava que o amor e o tesão não tinham limites, que a atração entre duas pessoas não precisava de nenhuma daquelas superficialidades burguesas, que aquilo tudo era mais.

E se perguntou há quantos dias aqueles corpos não viam água, há quantos dias não tomavam banho, não usavam sabonete nos sovacos, no pau, na boceta, em tudo, que já estavam fedendo quando chegaram e ficariam ainda mais fedorentos depois, com porra, lubrificação, suor, baba seca, aquilo tudo, que deviam estar cheios de bactérias, fungos, vírus, que aquilo era um intercâmbio de doenças, aids, cândida, herpes, HPV e que achar aquilo bonito era forçar a barra, porque aquilo era nojento, mas era horrível pensar assim, porque as pessoas tinham o direito de se amar fossem quem fossem e estivessem onde estivessem, que o tesão era tudo o que importava e o tesão não tinha regras, que era isso que achava, que aquilo tudo era muito bonito, o amor, o tesão, o sexo, e que era mesmo um privilegiado de estar tão perto daquela cena linda de amor.

15.
Hoje o meu parceiro Santos pediu pra dar um depoimento, e tá aqui me dizendo que o termo correto não é morador de rua, é sem-teto, porque quem mora na rua o carro atropela, e ele vive em cima da calçada. Se confundem ele com mendigo? Claro que confundem, mas tá errado: ele é trabalhador. Ele não pede esmola nem desperdiça o dia tomando cachaça que nem uns e outros por aí. Já cheirou muita cocaína e, quando cheirava, bebia o que pintasse, mas felizmente se livrou desse inferno. Só restou o vício no cigarro, que é uma desgraça difícil de largar, mas dos males o menor. Agora é bola pra frente, que ser sem-teto não é o fim do mundo, que é só se ligar pra não parar na rua e o carro atropelar.

16.
Embalado pela cerveja do pub na Praça Maurício Cardoso, um dos lugares mais tradicionais daquele bairro que voltou a frequentar depois de ter se despido de alguns preconceitos bobos, porque era ótimo aproveitar todas as conexões que a vida tinha a oferecer e não havia motivos pra deixar de ir no lugar a, b ou c só porque se dizia que lá tinha determinado tipo de pessoa, que nenhum lugar era absoluto, porque cada pessoa era um mundo à parte, complexo, infindo, misterioso, porque cada vez mais tinha certeza de que Porto Alegre era mesmo muitas cidades em uma só e que era muito bom poder aproveitar todas elas, porque estava feliz com as mudanças recentes, de perspectiva, de ocupação, de grana, Dante disse aos sócios que ultimamente tinha se dado conta que era uma lástima que o corpo ainda fosse suporte de algo, porque o corpo não

passa de uma viscosidade incômoda, porque as utopias não podiam mais ficar presas aos nossos organismos limitados, àquela coisa humana tão restrita e tão pequena, que o prazer daquela cerveja de chocolate com pimenta, por exemplo, poderia ser codificado, e que quando isso acontecesse seria tão bom quanto deixar o líquido tocar as papilas gustativas, ou até melhor, porque as coisas boas se manteriam e as ruins seriam eliminadas, porque isso acabaria com uma série de problemas como, por exemplo, o enjoo, a dor de cabeça e o sono, essas coisas horríveis que já sabia que sentiria no dia seguinte se decidisse tomar mais algumas daquelas cervejas, e já estava mais do que na hora da vida se libertar da matéria, porque a matéria aprisiona a imaginação, porque agora a questão é saber com quantos gigabytes se faz uma jangada, que o Gil tinha sacado tudo, eu quero entrar na rede, promover um debate, juntar via internet um grupo de tietes de Connecticut, e que era isso mesmo, que o primeiro cara a colocar berimbau e guitarra elétrica juntos num palco e dizer que aquilo era o Brasil, aquele gênio, a antena da geração, o cara que junto com o Caetano tinha tirado a esquerda daquele patriotismo tosco estava dando o recado e que quem era esperto já tinha entendido, que agora a revolução era na rede. Porque o corpo tinha sido o palco de todas as utopias falidas, autoritárias, suicidas, o palco das utopias que se desfizeram junto com os próprios corpos, corpos que explodiram de tanta droga, corpos que foram presos com o centralismo que levou tanta gente pra Sibéria, pra forca, pra faca, pra foice e pro martelo, e que agora a revolução estava longe do carbono, era o silício, porque Palo Alto era a nova Havana, o novo Quartier Latin, o novo Summer Love, o novo Walden, a nova Summerhill, e que aquilo que eles estavam fazendo na The edge paradise era a vanguarda da revolução, uma revolução inovadora, uma revolução leve, que ainda tinha muito chão pela frente, mas já tinham dado um passo importante, porque tinham sacado antes de muita gente que a luta agora era outra, e depois de encher todos os copos da mesa, pediu um brinde à revolução do paraíso na borda, e todos bateram os copos empolgados e gritaram viva o paraíso na borda.

17.

E depois de mais algumas rodadas, comentaram que era ótimo que um perfil chamado João da Rua tenha criado uma comunidade no Orkut chamada Eu já vi o João, uma comunidade dentre tantas outras que estavam bombando, Deus me disse desce e arrasa, Tocava campainha e corria, Cabras não têm muitas ambições, Eu caio em câmera lenta, Disfarço burrice com sarcasmo, Invicto em brigas de sonhos, Amaral marcando Zidane, e que era ainda melhor que nesta comunidade tenham começado a aparecer relatos de pessoas que diziam ter visto João pelas ruas da cidade, tomando banho no chafariz da Redenção, dormindo num banco da Praça xv, passeando perto do viaduto da Obirici, andando sozinho na orla de Ipanema, que pouco importava se era verdade ou não, se era real mesmo ou não, porque sabiam que de qualquer forma, sendo ou não verdade, mais dia menos dia aquilo ia fortalecer o produto, porque mais dia menos dia as conexões se voltariam pra empresa, porque as pessoas iriam se voltar pro blog, e teriam mais acessos, mais divulgação e mais patrocínios, e a empresa ficaria mais conhecida, e que por isso tudo era importante aproveitarem o momento, porque o blog estava a mil, porque o vídeo não parava de receber visualizações e ser elogiado, e não podiam ficar parados, não podiam se acomodar, era hora de tomar a frente, de se mexerem, de criarem mais tentáculos, de oferecerem mais ações.

E que talvez o pulo do gato da vez pudesse ser cursos direcionados pra pessoas que estivessem a fim de se qualificar pra enfrentar os desafios do presente, cursos rápidos, ágeis, fáceis, voltados para os negócios, porque é nos negócios que está a chave da virada, porque não existe mundo sem negócios, porque todo o resto é ingenuidade, porque é ali que se deve fazer a revolução, porque os negócios são organismos vivos que devem substituir o individualismo pelo cooperativismo, a padronização pela pluralidade étnica, religiosa e cultural, porque é preciso respeitar as múltiplas identidades pessoais, vocalizando o empoderamento do protagonismo diferenciado na governança das narrativas endereçadas, e que sob essas diretrizes basais poderiam ensinar as pessoas interessadas em fazer negócios para um mundo melhor, a fazer apresentações impactantes e memoráveis pra além do tédio do PowerPoint, a pesquisar tendências, a entender a nova era, a fazer refreshs culturais e comportamentais, tudo isso em cursos de curta duração que mostrariam a importância da inspiração pra gestão e pra liderança, que explicariam como transformar o comportamento humano em dados que não fossem frios, cursos endereçados a negócios feitos com paixão, inspiração e muita atitude, cursos que seriam organismos vivos como são todos os negócios, cursos que tornariam os alunos aptos a operar a revolução que o mundo pedia, com matrículas diretamente no site, por e-mail ou por telefone, que podiam pensar em uma parceria com o café da Padre Chagas, com sanduíches, cappuccinos, drinques e sucos incluídos no preço, que era isso que o mercado pedia e era isso que iam fazer.

18.

No final de tarde, eu e o pessoal nos protegemos da chuva debaixo da marquise de um açougue na Lima e Silva e ficamos bebendo a cachaça que tínhamos comprado mais cedo, conversando sobre o que fazer, porque se aquela chuva continuasse à noite ia ser foda, íamos acabar ficando doentes, e quando vimos tinha um homem magrinho, meio careca, com um jaleco branco tirando fotos da gente. Eu perguntei por que ele tava tirando aquelas fotos, e ele gritou que era o dono do açougue e aquelas fotos eram pra mandar pra polícia e pra Zero Hora, que ele ia mostrar que daquele jeito não dava mais, que ia mandar o pessoal da prefeitura recolher as nossas roupas, que esperava que dessem um jeito naquela situação, porque assim não dava mais pra continuar, quem ia querer comprar carne num lugar infestado de moradores de rua?, que com a gente parado ali na frente do açougue as pessoas podiam imaginar que a carne era podre, e a verdade é que Porto Alegre estava se acabando aos poucos, já não era mais o que sempre foi, a mui leal e valorosa cidade de Porto Alegre, a capital de todos os gaúchos, que estava ficando feia, suja, impossível de viver, e que aquelas fotos eram pra tentar melhorar a cidade, porque já tinha cansado de ficar quieto diante daquilo tudo.

19.

Dante caminhou entre as milhares de pessoas encantadas com a possibilidade rara de estar na Redenção à noite, o corredor central do parque todo iluminado especialmente praquele evento que incentivava o bom uso dos espaços públicos com muita música, comida, dança e conversa, as toalhas de piquenique e as cangas estendidas no chão, gente vendendo space cakes, brownies veganos, cachaças de gengibre, cachaças de jambu, chopes artesanais, muita gente chegando, famílias inteiras, grupos de amigos, casais de namorados pra quem Dante distribuiu panfletos que explicavam que aquela era uma atividade sem fins lucrativos, idealizada por um pool de empresas engajadas socialmente e interessadas no uso integral daquela parte maravilhosa da cidade onde todos já tinham ido tantas vezes comprar artesanato e antiguidades, jogar pão velho pras carpas, fazer piquenique, tomar um chimas, comer umas bergas, andar de pedalinho, andar de trenzinho, andar de bicicleta, mas que por descaso das autoridades aquele lugar tão legal se tornava muito perigoso depois do pôr do sol, que de noite se tornava terra de ninguém, perigoso, vazio, ermo, e por isso tinham criado aquele evento que tinha como uma de suas bandeiras incentivar a convivência com a diferença, a troca entre as pessoas, a economia criativa, a arte, a cultura, que aquilo era um esforço pra que a nossa cidade se tornasse melhor, menos áspera, com muito mais amor e menos violência, e ficou muito satisfeito com aquela alegria toda, com aquele povo todo, com aquele monte de gente da imprensa cobrindo, porque o evento tinha dado muito certo, com um bando de gente que dançou, que riu, que cantou, que conversou, que comeu e que recolheu todo lixo em sacos plásticos com o logotipo da The edge paradise antes de voltar pra casa, e brindou com os sócios no Barranco com picanha, pão com alho e chope depois que tudo acabou, um pouco antes da uma, quando os quatro se encontraram pra celebrar o sucesso daquela intervenção urbana que matava dois coelhos numa cajadada só, porque modificava os modos de habitar o parque e afirmava o lugar da empresa como uma das mais descoladas e responsáveis da cidade.

20.

No começo da noite de ontem, eu e uns amigos que trabalham em um jornal escrito por moradores de rua estávamos perto do shopping Praia de Belas e saímos caminhando pela Ipiranga em direção à João Pessoa. Quando já estávamos perto do Teatro Renascença, uma patrulha de brigadianos nos parou e perguntou o que é que a gente tava fazendo ali, que ali não era lugar pra nós, que ali não era lugar de roubar, que ali não era lugar de bagaceiro chinelão.

Meus amigos responderam que estavam vendendo jornais, que não eram ladrões, e o policial disse que eles não podiam ser trabalhadores, que trabalhadores não eram fedorentos e sujos daquele jeito. A gurizada pegou o crachá de identificação do jornal, com foto, com nome e com apelido e mostrou pros policiais, mas eles disseram que aquilo não valia nada, que aquele jornal era uma merda e que não queria saber de vagabundo na zona dele. Eles rasgaram todos os crachás e gritaram que era pra gente ir embora dali se não quisesse tomar uma ruim, que ali não era lugar pra gente.

21.
Andar na quadra do bordel mais famoso da cidade é sempre uma aventura. Os leões de chácara sempre dizem que vão baixar a porrada e meter bala na fuça da gente, porque a gente afasta os caras que dizem que vão jogar futebol ou que vão pro estádio e vão pra lá. Eu adoro passar por ali nas quartas-feiras à noite, porque é dia de campeonato brasileiro, de Libertadores, de Planet Ball, de HD, de tomar aquela cervejinha com os parceiros, e por isso o lugar fica tri cheio.

Nenhum daqueles seguranças nunca conseguiu encostar um dedo em mim. Eu sempre escapo deles e rio da hipocrisia daqueles caras e da cidade toda, uma cidade alemã, uma cidade italiana, uma cidade portuguesa, trabalhadora, fiel aos bons costumes, com seus casamentinhos e suas casas, com sua moral, com seus cidadãos de bem, com tudo. Eu acho que a gente tem que rir disso, porque isso é muito ridículo.

22.
Não demorou muito pra que João entendesse que as mortes das pessoas que moram na rua não têm as mesmas causas que fazem a classe média morrer, câncer, acidente de carro, ataque do coração, que na rua eram umas mortes meio sem sentido, como a morte de Dente, que tinha ensinado várias coisas sobre a rua pra ele assim que ele chegou na Praça Garibaldi, os caminhos mais seguros, onde dormir e onde não dormir, como conseguir comida, e esse cara de quem tinha gostado muito rápido agora estava morto por causa de uma tuberculose violenta que tinha acabado com ele em pouco mais de um mês, essa doença que matava os artistas no começo do

século passado e que praticamente não existia mais, que João só sabia que ainda existia porque mais ou menos na metade da faculdade fez um estágio no Hospital Psiquiátrico São Pedro, o maior hospício do Rio Grande do Sul, e lá muitas pessoas tinham tuberculose.

E esse amigo tinha pego essa doença e agora estava enterrado na vala para indigentes do São Miguel e Almas, um canto ainda mais triste do que a tristeza de todo o cemitério, porque ficava afastado do fausto daquelas estátuas e daqueles mausoléus todos que homenageavam a elite da cidade, mas ainda mais porque esse espaço ficava quase grudado no muro e era um espaço árido, seco, sem vegetação, com uma terra dura e marrom-escura, numa área um pouco íngreme, sem marcação, sem lugar específico, onde os corpos dos miseráveis da cidade se amontoavam, onde os esqueletos dos desvalidos se encavalavam, e foi nesse lugar reservado praqueles que morrem de tuberculose no meio da rua que esse amigo foi enterrado, e João acompanhou o enterro simples, sem padre, sem reza, sem cerimônia, só um buraco, o corpo dentro do caixão, lágrimas e deu.

23.

João, Maria e Dante combinaram de se encontrar no Parangolé, o bar na Lima e Silva em que eles iam de vez em quando no tempo da faculdade, porque curtiam as comidas, o ambiente, a música, porque lá ia ser bom pra fazer esse revival, porque fazia tempo que não se encontravam os três juntos, porque nem lembravam quando tinha sido a última vez, porque aquele trio tinha história, porque aquele trio era foda, era isso, era aquilo, então partiu?, partiu, partiu. Mas quando João foi no banheiro pela primeira vez, Maria e Dante comentaram em voz baixa que ele estava mais sério e mais irritado do que nunca, que tinham ficado preocupados com ele, porque depois de contarem que o pessoal tava levando a vida, alguns na residência, outros no mestrado, gente viajando, gente tentando engrenar no consultório, um churrasquinho aqui, um aniversário acolá, um barzinho de vez em quando, que devagar as coisas iam acontecendo, que todo mundo estava com saudade dele, que não tinha por que ele sumir mais uma vez, que tinha sido ótimo quando ele tinha reaparecido no Rossi, que todo mundo tinha adorado, que ele podia ir em algum encontro de novo, e de João dizer que achava ótimo que os amigos estivessem se encaixando, que ia ver se conseguia aparecer em alguma parada, e também falar sobre a sua vida, os novos amigos, as andanças, as durezas, as alegrias, as descobertas, o ranço da polícia, a morte do Dente, o cantinho no cemitério, depois disso tudo o papo não demorou muito pra ficar ríspido, porque João fez questão de dizer que sentia saudade de todos eles, sim, mas também de lembrar de coisas que deixaram Dante e Maria meio constrangidos, coisas que eles não entendiam bem aonde João queria chegar ao mencionar, que Dante e Maria não sacavam se eram críticas pessoais, se eram autocríticas, se eram ataques, coisas tipo perguntar se eles já tinham percebido que não tinha nenhum amigo gay na turma, e Dante respondeu perguntando qual era o problema disso, que ninguém ali era preconceituoso, longe disso, e se por acaso João achava que a gente tinha que obrigar nossos amigos a serem gays, se é, é, se não é, não é, e ponto, não entendo qual é o teu incômodo, e João retrucou com a cara fechada que ou ele estava louco ou era muito burro, porque sempre fizeram piada com isso, sempre acharam graça disso, porque eram agressivos com isso, como é que alguém vai ficar à vontade desse jeito, que é óbvio que eram preconceituosos pra caralho. Dante tentou dizer que piada é piada, só brincadeira, sem maldade, que todo mundo sabe disso, mas João se enfureceu ainda mais e falou que se toda piada era sem maldade queria saber se ele também lembrava de quando passavam pela Farrapos pra ir jogar bola e ficavam se arriando nas travestis grandonas que ficavam nas esquinas, que aquelas pessoas de quem eles debochavam estavam trabalhando, se virando do jeito que dava, se arriscando na rua, no frio, que podiam ser agredidas, esfaqueadas, estupradas, mortas, e que eles não estavam nem aí pra isso, que davam apelidos que eram os nomes dos zagueiros toscos do Grêmio e do Inter, uns caras enormes, Tonhão, Rivarola, Jonílson, João Marcelo, os nomes dos centroavantes gigantes, Afonsão, Leonardo Manzi, só uns trogloditas, e Dante disse que lembrava, sim, e perguntou o que é que tem, eram pessoas grandes mesmo, e João disse que não dava pra acreditar naquilo, que ele não enxergava um palmo à frente do umbigo, que aquilo era um absurdo.

24.

Depois de um tempinho em que conversaram de novo sobre amenidades, que a batata frita estava bem sequinha, que a cerveja de lá era sempre gelada, que aquele bar era massa, que ver o professor Darcy tocando violão ali era um privilégio, coisas desse tipo, do nada João falou que não ia mais ficar segurando uma coisa que tava entalada na garganta e que se ele se mantivesse quieto ia seguir fazendo muito mal a ele, que já estava há um tempo com aquilo e não dava mais pra segurar, que tinha dado um voto de confiança pro Dante, mas já estava arrependido daquilo, que desde o início sabia onde aquilo ia dar, que era óbvio, e sem nenhuma pausa emendou que não entendia por que Dante fazia aquilo, que chegava a dar vergonha alheia, que ele e os amiguinhos dele não enganavam ninguém, blog, vídeo, curso, evento, que ficava curioso pra saber qual era a ideia, que queria saber qual era o mantra, cult-bacaninhas do mundo, uni-vos?, ah, por favor, quem vocês acham que enganam, cara?

Dante ficou surpreso com aquilo, com aquelas acusações sem preparação, sem aviso prévio, sem nada, e respondeu de supetão que tudo o que fazia era por idolatria e em nome de um mundo melhor, que era só isso, que tinha muito a ver com tudo o que tinha aprendido com João, que era uma homenagem, e quer saber, cara?, te digo que tá dando certo, a gente tá fazendo umas coisas bem massa, tá rolando, viu?, mas já que João tinha puxado esse papo, agora era a vez dele perguntar o que João achava que era ser de esquerda hoje, porque é a direita que defende a propriedade, porque o capitalismo acabou com ele mesmo, porque agora era a hora do proletariado criativo, da cooperação, e no fim é tudo narrativa, é tudo disputa de sentido, e era o momento de disputar o sentido, criar, transmitir, comunicar, ocupar, porque a gente precisa invadir a cadeia discursiva, se conectar, porque se não eles vão se adonar de toda essa merda, que não era hora de sumir, não mesmo, que quem sumia se esquivava de participar de um momento importante da história, um momento decisivo, que tinha coisas fundamentais sendo decididas naquele instante, que quem sumia não tinha se ligado que aquela merda toda não tinha fora, que a única saída era invadir a máquina, que evadir do sistema era sair do jogo, era ser carta fora do baralho, era desistir da luta, e que não dava pra desistir agora, não mesmo, e João deu uma risada agressiva e retrucou que Dante estava ganhando uma grana preta com isso, e se ser de esquerda é isso, e se não desistir da luta é isso, e se invadir a máquina é isso, por que tu não faz com que tua conta bancária seja pública também?

25.
Dante tomou um gole grande de cerveja, apoiou o copo na mesa e se levantou pra ir ao banheiro, e Maria olhou firme para João e disse que já tinha aguentado muita coisa, que tinha deixado muita coisa passar, que tinha ficado quieta um tempão, mas que agora era a vez dela falar o que achava, e o que achava era que João ficava posando de bonzão, de herói da geração, de salvador da pátria, de perfeitinho, que não era de hoje, que se achava melhor do que todo mundo, que pensava que tinha direito de acusar todo mundo, mas que era muito estranho que essa perfeição toda coubesse em alguém que ficava de pau duro toda vez que a namorada chorava, que não adiantava dizer que não, porque ela sentia, tinha sentido várias vezes, podia ser um choro convulsivo, podia ser um choro de manha, um choro de tristeza ou um choro de alegria, não importa, ela sabia que ele se excitava com as lágrimas dela, e isso era estranho, pra dizer o mínimo. E também era estranho que essa singularidade toda que ele tanto exaltava nele mesmo coubesse em alguém que sempre gostou de gurias com

uma beleza óbvia, dentro da norma, nem uma coisinha estranha, um cabelinho assimétrico, um olho meio vesguinho, uma mancadinha, uma berruguinha no umbigo, uma orelhinha de abano, nada, só aquelas belezas repetidas, certinhas, lindas, gostosinhas, tipo capa da Capricho, tipo Ana Paula Arósio, e agora ele ficava andando na rua e dizendo que não ia se entregar pro sistema, que as normas eram isso, que a sociedade era aquilo, que os amigos eram não sei o que lá, que agora ficava naquele bloco do eu sozinho, naquele exército de um homem só, naquela pregação no deserto, se achando o puro, ah, conta outra, vai, eu te conheço, cara. João não respondeu nada, só olhou pra ela com uma expressão decepcionada e balançou negativamente a cabeça, e quando Dante voltou do banheiro João e Maria já estavam de pé prontos pra irem embora, a meia garrafa de cerveja e o prato com as batatas fritas em cima da mesa, ele com a mochila nas costas e ela com a bolsa no ombro, e os três se despediram meio de repente, eu tava morrendo de saudade, mas é melhor a gente ficar por aqui mesmo, vamos pagar essa merda, pra mim já tá de bom tamanho, chega, cansei de vocês, falou.

26.

Dante disse que ficava triste com aquilo, que adorava João, mas que era cada vez mais difícil ficar perto dele, que estavam conversando na boa, que ninguém tinha provocado ele, que era só conversa, como sempre tinham feito, que ele tinha ficado agressivo de repente, que parecia que nada do que eles faziam tinha prestado, que alguma coisa tinha se quebrado, e que não tinha muito mais a fazer, que não ia aceitar ficar sendo tachado de idiota, de preconceituoso ou de burro toda hora, que tinha chegado no limite, que não ia ficar chamando ele de volta, ligando, mandando mensagem, combinando de se encontrar, que talvez fosse melhor dar um tempo mesmo.

Maria falou que também não entendia, que parecia que tinha sido ontem que eles viajavam juntos, tocavam violão, viam filmes, cozinhavam, iam no cinema, se adoravam, que parecia que iam passar a vida toda juntos, eles dois, eles três, a galera, que não sabia como as coisas tinham se desmanchado tão rápido, que até concordava com umas coisas que João tinha dito, mas que não precisava ser tão agressivo, tão arrogante, tão violento, que dava pra conversar de boa, dizer o que pensava, escutar, mas não, que agora ele ficava se achando o cara mais perfeito do mundo, um herói, que curtia ficar apontando o dedo pra todo mundo, que era difícil mesmo, que pra falar a verdade também tava um pouco cansada, que talvez fosse isso mesmo, que talvez fosse a hora de dar um tempinho, que não ia sair correndo atrás, gritar o nome dele, ligar, nada, que também tinha chegado no limite.

27.

Dante e os sócios acharam que era a hora de ampliar a rede e prospectar outros clientes, e que por isso poderia ser bom pensar em um projeto longe dos peixes grandes, nada de atum, de bacalhau, de tambaqui, de gente já estabelecida no mercado, mas um projeto focado nos peixes pequenos, piabinhas, pescadinhas, sardinhas, um projeto focado nos pequenos empreendedores que estão começando seus negócios com muito pouco ou quase nada. A tia do bolo de pote, o tio da barbearia, o gurizão da mecânica, gente que vem de baixo e que sonha ter seu próprio negócio, gente que não quer mais ser empregado de ninguém, ter horário, bater ponto, receber salário atrasado, gente que quer ser seu próprio patrão, gente que quer mandar na própria vida, gente que sonha em mudar de patamar, porque trabalhando com a caixa baixa do empreendedorismo poderiam fazer um mundo com mais autonomia e menos concentração de renda, um mundo longe das hierarquias e das organizações piramidais.

E poderiam fazer tudo isso em um ambiente agradável e descontraído onde ensinariam as pessoas a desenvolver um estilo próprio de negócios, sem pressão ou constrangimento, porque nós somos um meio e não um fim, um instrumento pra tornar vidas e negócios melhores, porque acreditamos que o mundo não é o mesmo sem você, e por isso precisamos de você, porque cada pessoa nasce pra escrever uma história única, e o sucesso nunca é alcançado por acaso, é preciso trabalhar intensamente, porque o sucesso exige resiliência pra assimilar as derrotas e planejamento pra alcançar as vitórias, e o método que oferecemos utiliza uma linguagem direta e reta, que conversa com o microempreendedor independentemente da sua escolaridade, com uma metodologia ativa e instigante que acredita no potencial do ser humano pra enxergar a solução dos seus próprios problemas, uma metodologia ativa e instigante que acredita que é possível modificar o comportamento de qualquer pessoa e fazer com que ela chegue a resultados diferentes dos que chegou até hoje.

Porque o empreendedorismo não é um dom, mas um conjunto de habilidades que são desenvolvidas pela prática e pela experiência, porque o empreendedorismo é algo que se ensina e se aprende, algo focado na identidade, nos sonhos e na autoimagem de cada pessoa, coisas que serão transmitidas passo a passo em um ambiente seguro e estimulante onde você pode se sentir aceito e respeitado, porque não estamos aqui pra bajular, mas podemos dar um empurrãozinho se for preciso, porque todos podem superar seus limites e se tornar seus próprios mestres. Ao final do processo, queremos que os microempreendedores estejam aptos a analisar as dificuldades e buscar soluções singulares e criativas pros seus próprios negócios, porque com isso poderão fomentar práticas de trabalho e comércio justas, fortalecendo cadeias produtivas locais, porque o pleno desenvolvimento do microempreendedor resulta inevitavelmente no seu empoderamento, e microempreendedores empoderados se tornam exemplos e contribuem pro desenvolvimento econômico e social das suas comunidades, e nada é mais gratificante do que olhar pra trás e dizer em alto e bom som, eu conquistei meus sonhos, e é nisso que podemos e queremos ajudar, porque achamos que todos têm o direito de conquistar seus sonhos, e essa é nossa missão.

28.

João e Maria se encontraram perto do chafariz central da Redenção, lá onde em tantos domingos de sol tinham estirado toalhas e passado a tarde toda conversando, comendo bergamotas e tomando chimarrão com os amigos, um lugar que eles adoravam, mas que agora parecia tão diferente, porque era dia de semana, estava nublado e o parque estava vazio, mas ainda mais porque o encontro era muito distante daquilo que tinha sido desde que ficaram pela primeira vez, na festa do trote, no fim da primeira semana de aula, quase seis anos antes, lembra disso?

João respondeu que lembraria daquilo pra sempre, que aquela era uma memória que ele guardava com muito carinho e que guardaria pro resto da vida, e Maria disse que também, que aquilo era inesquecível, aquela noite, aqueles anos, eles dois, e João perguntou se estava tudo bem com ela, e ela disse que sim, e contou coisas que ele já sabia, que seguia naquela clínica onde recebia por plano de saúde e que pagava muito pouco, mas que ao menos estava ganhando experiência de consultório e formando clientela, que estava pensando em fazer um mestrado ou uma formação a partir do outro ano, que nesse sentido tava tudo certo, andando, se ajeitando aos poucos, mas que achava que era melhor ir direto ao ponto, porque sentia saudades de muita coisa, do dia a dia, das brincadeiras, da presença, dos planos de envelhecerem juntos, de terem filhos, genros, noras, netos, bisnetos, uma casinha legal, que tinha saudades do futuro que criaram pra eles, e que daquele jeito não estava legal.

Maria chorou baixinho, tremendo o lábio inferior, porque ficava muito triste de lembrar que sonharam um sonho juntos por tanto tempo e agora era a hora da despedida, porque estava muito cansada daquilo tudo, porque não aguentava mais aquele negócio, tanto tempo sem se ver, sem se falar, sem saber um do outro, aquela briga, que não queria que se machucassem, que nem todo fim precisa ser violento, que eles eram melhores do que aquilo, que ele tinha levado a sério demais o negócio de sumir no mundo sem me avisar, que aquilo era pior que um namoro à distância, que queria um pouco mais de paz e de conforto, poder se enfronhar com o namorado debaixo de um edredom, ver um DVD e comer pipoca, pegar no sono aconchegada no ombrinho dele, sei lá, essas coisas que namorados fazem, e que por isso achava que era melhor não se desgastarem mais, não se atacarem mais, não se entristecerem mais, pra que pudessem guardar as lembranças de uma história bonita que durou até quando pôde durar, mas que agora não fazia mais sentido nenhum, porque as vidas tinham trilhado caminhos muito diferentes.

E não é que ela não gostasse da escolha que João tinha feito, ao contrário, achava bonita, corajosa, que ficava orgulhosa dele, ficava mesmo, sinceridade total, mas não aguentava mais, que tinha de admitir isso, que tinha que se respeitar, que não podia mentir pra si, que tinha que cuidar dela mesma, e sussurrou que tudo tinha sido tão forte e tão lindo, que era uma pena que tenha se desmanchado assim, se despedaçado, morrido de inanição, e quase brincando, num muxoxo, disse que ia deixar pedaços de pão no caminho pra ele encontrar ela caso quisesse, que esse era o destino de João e Maria.

Ele riu de um jeito discreto, só com o canto da boca, e disse tá bem, que ela tinha razão, que concordava com tudo, mas que não deviam fazer muito drama, que a vida era assim mesmo, que a gente se liga e se desliga, que a gente se cola e se descola, que as coisas têm início, meio e fim, que as coisas começam e acabam, e depois de um tempinho de silêncio foi só um tchau, um beijo e um abraço antes de saírem caminhando, um pra cada lado.

29.

Em uma manhã de segunda-feira, quando João estava sentado com alguns amigos na frente da rodoviária, uma senhora se aproximou deles, pediu licença e perguntou se sabiam se o Marcos Rogério estava por ali. Eles disseram que não conheciam ninguém com aquele nome, que infelizmente não conheciam nenhum Marcos Rogério, e a senhora respondeu que o Marcos Rogério estava sempre por ali, que eles deviam conhecer, sim, que era um menino moreno, magrinho, cabelo bem preto encaracolado, com uma cicatriz grande no ombro, de bigodinho. Eles indagaram se ela estava falando do Melara, e ela disse que não sabia se o apelido do Marcos Rogério era Melara, que pra ela era Marcos Rogério ou Marquinhos, e João se levantou e afirmou que devia ser o Melara, sim, e que ia mostrar onde ele estava.

Os dois caminharam em direção ao mocó debaixo do viaduto onde o guri costumava dormir, e viram o corpinho deitado no chão sujo, coberto por uns trapos, todo remelento, e ela sussurrou que era o Marcos Rogério, sim, e queria falar com ele. João chegou mais perto, cutucou o rapaz e disse que tinha visita. Ele acordou assustado, com os olhos arregalados, numa posição agressiva, a mão na cintura, de onde nunca tirava uma faca pequena e afiada que tinha roubado de um camelô, mas quando avistou a avó saiu do esconderijo num pulo, abriu um sorriso e abraçou ela com força. A senhora chorou e disse que ficava aflita com aquilo, com ele dormindo ali, na rua, daquele jeito, todo sujo, no meio daquela umidade, pegando sereno, e pediu que não ficasse mais lá, que voltasse pra casa, porque aquelas coisas que aconteciam quando ele fugiu não iam mais acontecer, que o tio já tinha morrido e devia estar pagando por aqueles pecados no quinto dos infernos, que o diabo devia estar se encarregando dele, e que ela queria cuidar do netinho, dar de comer, botar uma roupa boa, colocar na escola, que ficava muito preocupada, que tinha muita gente ruim na rua e que ela queria dar outro destino pra ele.

Marcos Rogério jurou que iria pra casa da mãe assim que desse, que tinha que resolver umas tretas antes de ir pra lá, mas que prometia que não ia demorar, e a senhora disse que a mãe dele não sabia cuidar nem dela mesma, quanto mais de uma criança, que ele ia morar era com ela em Alvorada, que tinha até quarto esperando, que agora só podia dar uma passadinha rápida, porque se demorasse muito a patroa ia dar bronca, mas que viria buscar ele assim que conseguisse, que era pra ele se preparar, e tirou da bolsa um pouco de dinheiro, três pacotes de Pastelina, duas barras de chocolate e uma latinha de Coca-Cola e entregou a ele, e os dois se despediram com mais um abraço longo, um tchau, um até logo, meu filho, se cuida, fica com Deus, um beijo, vó, pode deixar.

Quando ela já estava longe, ele perguntou se João sabia por que a avó tinha chorado daquele jeito, e João disse que devia ser porque ela gostava muito dele e ficava triste de ver ele ali, que queria que ele estivesse mais protegido, sem passar frio, sem passar fome, sem usar droga, sem apanhar da polícia, sem roubar. E esse guri que era o líder dos guris da região da rodoviária, aquele piá de quatorze anos que comandava todo o agito que os meninos faziam, que só se conectava muito brevemente para uma ou outra atividade e de resto ficava meio sozinho, meio fechado no próprio mundinho, sem rir muito, sem conversar, sem dar muitas entradas pros outros, esse guri que tinha esse apelido em homenagem ao cara que comandou o maior motim da história do Rio Grande do Sul e na fuga do presídio invadiu o saguão do hotel mais luxuoso da cidade com um táxi, esse guri ficou quieto, olhando de um jeito estranho pro João, como quem tenta mas não consegue entender aquilo tudo, a avó, o tio, a mãe, as Pastelinas, o chocolate, o dinheiro, a Coca-Cola e aquelas lágrimas.

30.
Em um dia quente e nublado do começo de outubro, com o mormaço encharcando as roupas e o calor do asfalto marolando o ar, João conheceu um guri tímido, penteado, vaidoso, de não mais do que vinte anos, que contou que se chamava Miguel, que tinha chegado de uma pequena cidade nos arredores de Passo Fundo não fazia nem um mês, que tinha morado numa pensão na Voluntários por vinte dias, que pensou que a grana que ganhou trabalhando de faxineiro numa casa de família daria pra segurar um tempinho até conseguir um emprego de verdade, mas que o dinheiro se foi de uma hora pra outra porque em Porto Alegre tudo era uma fortuna, qualquer coisinha e já gastava cinco pila, dez pila, e por isso não deu mais pra pagar a pensão e teve que ir pra rua, que estava vendendo balas no sinal ali perto da rodoviária, que não tinha ruim, que era só respeitar pra ser respeitado, que estava conseguindo tirar um troquinho bom todos os dias, que aos poucos ia crescer, conseguir um trampo melhor, ganhar mais dinheiro, estudar, ser alguém na vida, casar com uma mina legal, ter filhos, e João disse que sim, que tudo ia dar certo, que ele ia conseguir tudo aquilo que tinha sonhado.

31.

Nem um mês depois, Miguel estava definhando, fraco, acinzentado, doente, precisando se internar, porque gastava todo o dinheiro que ganhava com crack, porque a fissura era terrível, porque sabia que se continuasse daquele jeito não ia durar muito, porque tinha que fazer alguma coisa, porque não era praquilo que tinha ido pra Porto Alegre, porque queria vencer na vida, e João não só deu todo apoio como foi junto até o posto de saúde da Vila Cruzeiro, perto da avenida Tronco, onde passaram pela triagem na recepção e esperaram quase uma hora pra serem chamados por uma mulher ruiva, de cabelo liso, que abriu a porta da sala, pediu que entrassem, disse que era a médica responsável pelo caso e perguntou o que é que tinha acontecido com ele.

Miguel explicou que não conseguia mais ficar sem a pedra, que queria se internar pra sair daquele inferno e se ajeitar na vida, estudar, casar, ter filhos, ser alguém, e ela perguntou com que frequência ele usava a droga, e ele respondeu que gastava cinquenta pila por dia mais ou menos, e ela falou que era impossível, porque isso dava mil e quinhentos reais por mês, que se usasse cinquenta reais de pedra por dia já estaria morto, que não tem corpo que aguente essa quantidade, que sabe que Miguel só quer ir pra clínica de internação porque lá tem piscina, comida e roupa lavada, e que não ia encaminhar ninguém pra lá se não fosse muito necessário, que ela ficava lotada e depois não tinha vaga pra quem realmente precisava, que com certeza não era o caso dele, que não era a primeira nem a última vez que isso acontecia, que estava ligada, que já conhecia as mentiras deles só de olhar pra cara.

João apoiou as mãos na mesa e respondeu que aquilo era uma baita de uma falta de ética, que ela não tinha a menor ideia do que era a vida na rua e que isso era o mínimo que deveria saber pra trabalhar naquele lugar, que não podia fazer aquilo com Miguel, que não tinha escutado o paciente nem cinco minutos, que estava entregando mais uma vida à morte, e a psiquiatra retrucou que quem sabe do trabalho dela é ela mesma, que tinha estudado muito pra estar ali e não é qualquer moleque que vai chegar no consultório e dar pitaco, que tem que ser muito otário pra colocar pra dentro qualquer coisa que ofereçam, que eles não eram crianças e tinham que se responsabilizar pelo próprio vício, que a consulta estava encerrada e que era pra eles se retirarem da sala imediatamente se não ia chamar o segurança, porque tinha um bando de pacientes necessitados de verdade pra atender e não podia perder tempo com aquela conversinha fiada de internação.

32.

Na entrevista de página inteira que deu pro maior jornal do Rio Grande do Sul, com direito a foto no lugar em que realizava todas as reuniões e onde eram todos os cursos da empresa, porque achou interessante fazer como uma de suas maiores referências, Eduardo Galeano, e receber a jornalista no café onde trabalhava, Dante se definiu como uma pessoa inventiva, subversiva, curiosa e do bem, e começou dizendo que cada vez mais tinha certeza de que essas eram as características que o mundo precisava, a inventividade pra escapar da mesmice, a subversão pra confrontar o status quo, a curiosidade pra ser um radar dos desejos que circulam na sociedade e um trabalho eticamente comprometido pra ajudar a construir um mundo melhor, e fez questão de frisar que essas não eram características exclusivamente suas, mas também do núcleo vivo de inteligência que era a The edge paradise, a empresa onde ele tinha muito orgulho de colaborar ao menos um pouco pra que as coisas fossem um tantinho melhores do que são.

Na pergunta mais difícil que recebeu, Dante disse que era a favor da descriminalização das drogas porque achava que era proibido proibir, mas também queria deixar claro que não era partidário de apologia ao que quer que fosse, religião, arma, droga, nada, porque cada um deveria saber o que era melhor pra si, e comentou que as drogas da geração das décadas de 60 e 70 eram drogas de pensamento, drogas que faziam viajar, que produziam estados alterados de consciência, como a maconha e o LSD, que a droga da geração dos anos 80 foi a cocaína, droga de trabalho, droga do capital, droga de quem quer ficar rico, fazer alpinismo social com uma capacidade laboral maior, e que nos anos 90 apareceu o ecstasy, droga de ritmo, droga de um mundo sem linguagem, da música eletrônica, droga de quem não quer pensar, droga de quem quer sentir o corpo, de quem quer sentir prazer, e que dessas ele se sentia afetivamente mais próximo das drogas dos anos 60 e 70, mas que ultimamente a droga que mais consumia era a cafeína, muito café expresso e muito chimarrão pra dar conta da quantidade incrível de trabalho que tinha, ajudando a gerenciar as iniciativas de muitos microempreendedores, organizando alguns eventos, fazendo vídeos, montando cursos súper interessantes, com ótimos professores, acompanhando o sucesso do blog, que foi a primeira ação da empresa, uma ação pela qual ele tinha o maior carinho.

A repórter cortou ele e perguntou se aquilo tudo que aparecia lá era verdade, se era mesmo João quem escrevia, e disse que gostaria de saber como é que faziam pra ter acesso aos relatos, e ele disse que pedia desculpas, mas que não podia falar sobre isso, porque assim como uma boa jornalista jamais revela suas fontes, um mágico também jamais revela seus truques, e que tinha certeza que ela iria entender.

E quando perguntado sobre como se identificava profissionalmente, disse que todo mundo sabia que a formação acadêmica dele era em Psicologia, mas que essas categorizações eram muito quadradas, disciplinares, arcaicas, e que estavam com os dias contados como tudo que era quadrado, disciplinar e arcaico, e que se via mais ou menos como um pintor que usa aquilo que aprendeu pra mudar a tela da nossa realidade, e que, portanto, não tinha nenhum pudor de se definir como um artista social, um artista social e um líder, mas não um líder que manda e desmanda, não um líder que abusa do poder, não um líder hierárquico e vertical, e sim um líder que gosta de aglutinar as pessoas e fazer aparecer a cooperação dos grupos que lidera, tudo isso, é claro, através do uso correto da tecnologia, porque achava importante lembrar que a tecnologia em si não é nada, que a tecnologia é e sempre será aquilo que a gente faz dela, e que é por isso que o que eles faziam na The edge paradise podia ser definido como um movimento social high-tech, onde tanto a rua quanto a rede são plataformas de atuação e de transformação do mundo, e que se perguntassem se era um nerd ou um hippie, não teria a menor dúvida de responder que era muito mais um hippie do que um nerd, e que tudo aquilo que a The edge paradise fazia estava muito mais perto dos hippies do que dos nerds, porque se é verdade que a técnica era um pouco nerd, com a internet e os computadores, e era mesmo, era ainda mais verdade que a ética era enfaticamente hippie, porque sonhava com um mundo melhor, mais comunal e mais alegre e essa era a meta de todas as ações que já tinham desenvolvido e ainda desenvolveriam.

E fez questão de dizer que não via a prostração e a ausência de inconformidade que muitos viam naquela geração, que não entendia de forma alguma assim, que não era desse modo que via seus amigos, por exemplo, pois quando a jornalista perguntou se não achava que em certa medida aquela geração tinha menos força crítica do que a anterior, que era uma geração meio rebelde sem causa, uma geração meio acomodada, meio confortável, meio estagnada numa zona de conforto, e queria saber se ele não achava que a tecnologia poderia ter relação com isso, Dante disse que não, que discordava da premissa, que não era bem assim, muito pelo contrário, que essa turma sempre esteve lutando, mas que as causas hoje eram diferentes, que as lutas se davam em nome de uma nova força motriz, de uma nova força de criação, de uma força de união, de uma força fraterna, de uma força criativa pra fazer um mundo em que as pessoas se respeitem e saibam enxergar no outro a beleza que todo ser humano tem, porque, afinal, da mesma maneira que o pão é feito de trigo, a vida é feita de encontros, e é preciso buscar e forjar os bons encontros que são a constituição da vida, e era isso que aquela geração fazia, e que a tecnologia não atrapalhava em nada, pelo contrário, que a tecnologia só ajudava, e que por falar em luta, nas próximas eleições iria votar nulo, porque não se sentia representado por nenhuma das candidaturas nem por nenhuma bandeira, que vivia a radicalidade da liberdade como a possibilidade de escapar da caretice da política partidária, que ainda acreditava na divisão entre direita e esquerda e que queria deixar claro que tanto ele quanto a empresa eram de esquerda, mas que a esquerda em que acreditavam não era a esquerda dos partidos ou a esquerda do proletariado, que a esquerda em que acreditavam era uma comunhão criativa entre todos, não só entre os proletários, até porque essa categoria já era, era coisa do século 19, do passado, era uma categoria cheia de graxa, fumaça, engrenagem e fuligem, coisa batida, coisa de outros tempos, e que era preciso sempre se abrir ao novo, e que tinha orgulho de fazer parte de uma esquerda aberta ao novo.

E pra fechar a entrevista voltou a dizer que queria ajudar a criar as possibilidades de uma união inventiva, subversiva, curiosa e do bem, e que isso era a esquerda pra ele, e por isso era impossível dizer que a esquerda estava morta, e que o recado que gostaria de deixar ao encerrar aquela conversa era que a gente tem que ser o start da utopia, porque não adianta ficar contando os mortos, lamentando, lamuriando, é preciso tentar se colocar no mergulho visionário pra poder encontrar saídas, e citou uma frase de Mahatma Gandhi que era uma referência muito importante pra ele, uma frase que um dia ele inclusive iria tatuar em alguma parte do seu corpo, e essa frase dizia que é fundamental ser a mudança que você quer ver no mundo, e que vivia e trabalhava pra ser a mudança que queria ver no mundo, e que não queria entregar nenhum segredo, porque a concorrência estava sempre ligada, mas achava que era por isso que as coisas davam tão certo na The edge paradise e ele era tão feliz.

33.

Quando a mãe de João ligou e disse que estava preocupada porque fazia muito tempo que o filho não entrava em contato, que nunca tinha ficado tanto tempo sem dar sinal, que fazia tempo que não sacava dinheiro da conta, não aparecia no apartamento, não respondia nem as ligações nem as mensagens dela e do pai, nada, e queria saber se ela tinha alguma informação, Maria contou que tinham acabado o namoro, que ela não tinha aguentado, e que até onde sabia ele não falava com ninguém mais da turma, nem com ela, nem com Dante, nem com ninguém, que não se comunicavam desde que tinham se despedido na Redenção, quando decidiram terminar, que não fazia a menor ideia de como ele estava, que às vezes batia um desespero, porque ele podia estar só curtindo a vida que tinha escolhido pra si, estar feliz da vida, tranquilo, tri bem, mas que às vezes também pensava que alguma coisa ruim podia acontecer, que ele podia ir parar numa vala comum, no arroio Dilúvio, num hospital, em qualquer lugar, que não gostava nem de imaginar essas coisas, mas que era impossível deixar de lado, simplesmente esquecer, fingir que ele não existia, que em vários momentos só queria estar com ele, dar um abraço, dar um beijo, sentir o cheiro, ouvir a voz, o riso, que já tinha até tomado a liberdade de falar com um pessoal que mora na rua ali no Bom Fim e na Cidade Baixa, que alguns falaram que conheciam ele, mas que também fazia tempo que não viam, e que torce muito pra que tudo esteja bem, e antes de desligarem, combinaram que se tivessem notícias, uma avisaria a outra na mesma hora, por favor, com certeza, pode deixar.

34.

Dez dias depois da ida ao posto de saúde com Miguel, João acompanhou um amigo que tinha que fazer o exame de HIV e morria de medo de picada de agulha, e assim que entraram na saleta da coleta e a enfermeira tirou a seringa da embalagem, João perguntou se Seco sabia por que é que o milho verde era amarelo, se ele não achava bacana ter um cachorro chamado Choco só pra poder dizer que o Choco late, se ele achava que se eles colocassem um sino em cima da fogueira eles seriam uns assa sinos, se ele sabia por que é que tinha cama elástica no polo norte, que era pro urso polar, piadas bobas feitas pra distrair o rapaz enquanto a enfermeira passava o álcool, amarrava um elástico no antebraço, enfiava a agulha na veia e sugava a quantidade de sangue pra que o teste pudesse ser feito, e quando ela colocou um pequeno curativo com um algodão, pediu pra ele pressionar de leve e perguntou se tinha doído muito, ele sorriu meio envergonhado e respondeu com o olhar baixo que não, só um pouquinho, uma picadinha de nada, obrigado.

35.

Uma semana depois, os dois entraram juntos na sala da médica e escutaram que o resultado tinha dado reagente, que isso significava que o vírus estava no seu sangue, mas não queria dizer que estava necessariamente com a doença, que dali pra frente precisaria fazer um acompanhamento cuidadoso, vir às consultas regularmente, tomar os coquetéis, se alimentar direitinho, se cuidar, que assim poderia viver súper bem por muito tempo, porque hoje a aids já não matava mais como tinha matado no passado, que com os avanços da medicina a vida de quem estava infectado já era quase normal, e que estava à disposição pra tudo que Seco precisasse, que se tivesse alguma dúvida era só falar, e eles agradeceram pelo atendimento, pela gentileza e pela atenção e se despediram.

Já na rua em frente ao posto, João abraçou o amigo pelo ombro com força, disse que era muito foda, que era uma merda, que nunca tinha vivido nada parecido, que tinha perdido o chão quando a médica deu a notícia, que tinha ficado com vontade de chorar, mas que ele não podia desanimar, que era só se cuidar que ia ficar tudo bem, que ela tinha dito que a vida ia ser quase normal. Depois de alguns segundos de silêncio, olhando pro chão, perguntou como ele estava se sentindo, e Seco respondeu que já sabia que ia ser esse o resultado do exame, que não tinha problema nenhum, que já estava esperando aquilo, porque todo mundo na rua tinha o bichinho e não ia ser ele que ia escapar.

João ficou meio surpreso, porque não imaginava que alguém podia receber aquela notícia assim tão naturalmente, como quem descobre que tá gripado, como quem dá bom dia, como quem percebe que tá chovendo, como quem vê que horas são. Enquanto caminhavam quase em silêncio em direção à rodoviária, aquelas expressões não paravam de martelar na cabeça dele, tudo bem, eu já esperava, não tem problema nenhum, e ele pensava no que poderia fazer pra tentar mudar alguma coisa, distribuir camisinhas, distribuir seringas, dar palestras sobre sexo seguro, virar pesquisador pra descobrir uma vacina, doar dinheiro pra uma pesquisa que esteja em busca da cura, qualquer coisa, porque não era certo as coisas serem daquele jeito.

36.

Dante começou a se animar assim que pegou na caixa de correio do seu prédio o convite pra festa de fim de ano de uma agência famosa de publicidade, uma festa só pra convidados especiais, com bebida liberada, uma festa bombada, exclusiva, do naipe daquelas que por tantos anos tinha ficado afastado por pura bobagem, por falso moralismo, por uma percepção equivocada, por um preconceito bobo, porque demorou a se dar conta de que não é só porque alguém é rico que é mau-caráter, que nem todo abonado é um pau no cu, que dinheiro é só um pedaço de papel, que ir ou não ir a festas como aquela não definia se a pessoa era uma escrota ou era legal, porque era só uma festa boa, e festa boa é bom, porque qualquer coisa boa é bom, e aquela galera era engraçada, era divertida, era leve, improvisava piadas, tinha o raciocínio rápido, bebia bem e sabia fazer uma festa boa, e que por isso ia ser ótimo.

37.

Dante não ficou nem um pouco surpreso quando uma menina linda parou ao lado quando ele encostou no balcão pra pegar uma vodca com energético e perguntou se não era ele que tinha dado aquela entrevista pra Zero Hora. Ele sorriu e disse que sim, pegou a bebida, agradeceu o barman e ofereceu um gole à menina, e os dois conversaram sobre o blog, sobre os vídeos, sobre os eventos, os cursos, a entrevista, sobre os novos projetos, e ele contou em primeira mão uma coisa que ainda era segredo, que ela não podia espalhar pra ninguém, que depois da virada do ano iam começar a fazer camisetas através de um sistema muito interessante de criação, um mutirão talentoso que reuniria amigos que têm um estilo peculiar, descolado e autoral, amigos que também queriam mudar o mundo, amigos contagiados por aquela vontade de novidade que era a grande marca da empresa, e em breve fariam essa revolução criativa que já estava em curso através dos outros projetos também através da moda, com imagens e mensagens que andariam pela cidade nos corpos de pessoas interessantes, inteligentes, engajadas, pessoas como eles, e que sentia que aquele espírito só iria se espalhar mais e mais, no país todo, quem sabe além, na América, no mundo, e que isso era o que mais deixava ele feliz, a possibilidade de contribuir para o mutirão de um paraíso na borda, que o nome da empresa era uma missão, e pra ele missão dada era missão cumprida.

Ela achou a ideia linda e disse que com certeza ia querer comprar uma camiseta. Ele disse que já ia deixar reservada a mais linda de todas e convidou ela pra dar uma olhadinha no céu, que olhando as estrelas se sentia conectado à magnitude infinita do universo e lembrava que os seres humanos são só uma poeirinha e que era preciso aproveitar cada instante desse instante que é a nossa passagem pelo cosmos, e aproveitar muito cada instante desse instante que é nossa passagem pelo cosmos significava se divertir e tentar fazer um mundo melhor a todo instante, em toda e qualquer oportunidade, e deu a mão pra ela, e os dois ficaram frente a frente, muito perto um do outro, e se beijaram, e conversaram, e se beijaram de novo, e conversaram um pouco mais, e voltaram pra pista, dançaram um pouco a música eletrônica que estourava as caixas de som, tomaram mais alguns drinques, se beijaram mais, e já no meio da madrugada foram pro loft no Alto da Bronze que o pai de Dante, satisfeito com a mudança positiva na vida do filho, havia dado de presente não fazia nem duas semanas.

Dante mostrou o salão enorme com a cozinha americana de azulejos pretos, o lavabo, o janelão com vista pro rio Guaíba e pro Centro, a suíte, e ela achou tudo incrível. Ele fez duas caipirinhas de morango, colocou um CD do Air e ligou o som em um volume entre o baixo e o médio e os dois foram pro quarto.

No dia seguinte, tomaram o café da manhã juntos, pão sem glúten, queijo colonial, iogurte caseiro de leite de cabra, granola orgânica com mel e sem glúten e suco de laranja, e se despediram sem trocar telefone, porque trocar telefone era demais pra alguém que começava a ficar famoso, porque trocar telefone era demais pra alguém que era reconhecido em festas, porque trocar telefone era demais pra alguém que conduzia um dos trabalhos mais importantes da cidade nos últimos tempos, porque trocar telefone era demais pra alguém que tinha certeza que outras gurias tão lindas quanto aquela deveriam estar zanzando naquele instante por Porto Alegre atrás de rapazes inventivos, subversivos, sensíveis e do bem.

38.

A última aposta da empresa naquele ano tinham sido os stencils que começaram a ser falados por toda a cidade pouco antes do Natal, stencils com frases bonitas tipo faça amor, não faça a guerra, sejamos realistas, tentemos o impossível, é proibido proibir, a imaginação no poder, imagine que não há países, tudo que você precisa é amor, seja a mudança que você deseja ver no mundo, stencils com rostos de personagens históricos, Zapata, Subcomandante Marcos, Pagu, Leila Diniz, Chico Science, Angela Davis, Che Guevara, Malcolm X, Zumbi dos Palmares, stencils com nomes de coletivos, Panteras Negras, EZLN, Var-Palmares, Vivan los CDRS, stencils com o logotipo da The edge paradise no canto, vendidos no site e que convocavam qualquer pessoa a fazer essa coisa tão clandestina e cheia de adrenalina que era chegar no muro com uma moldura e um spray, deixar uma marca e sair correndo, uma marca preta, vermelha, azul, verde, branca, pouco importa, porque cada pessoa era singular e tinha direito de escolher a cor da sua marca pessoal, stencils que faziam a cidade tão mais interessante, mais bonita, mais posicionada, mais colorida, stencils que começaram aos poucos a aparecer no Bom Fim, na Cidade Baixa, no Centro, na Tristeza, no Menino Deus, porque todos queriam uma cidade mais interessante, menos cinza, mais viva, stencils que iam se espalhar como um vírus urbano do bem, porque aquele desejo de revolução criativa só iria se espalhar mais e mais.

E vendo aquelas marcas nos muros, Dante lembrava com satisfação de tudo que tinha ocorrido, do tédio, do almoço, da dúvida, das conversas, da decisão, da rede de sonhos, do blog, do vídeo, dos eventos, dos cursos, e já tinha certeza de que não seria cuspido pelo sistema como um caroço de cereja, e já tinha certeza de que os guris não eram sanguessugas que só sabiam sugar, e já tinha certeza de que a empresa não era nem uma cilada nem uma ratoeira, que tinha sido muito importante fazer a disputa de sentidos e disputar a narrativa, que afinal tudo tinha dado certo, e que João, o amigo genial e corajoso que colocou o corpo pra jogo como ninguém mais naquela geração, aquele cara brilhante que ele tanto admirava, corajoso, inteligente e inquieto do qual infelizmente tinha se afastado, estivesse onde estivesse, estaria tão orgulhoso quanto ele daquilo que fizeram dos sonhos que sonharam juntos durante os melhores e mais importantes anos das suas vidas, a onda começando a bater, o riso de todos puxando o riso de todos, as coisas muito lindas e muito engraçadas em revezamento, a eternidade em um grão de areia, a beleza de um mundo se tornando outro junto aos amigos, que era tudo o que eles queriam desde que passaram a dizer nós.

39.
João estava na frente da rodoviária quando percebeu um rapaz com o rosto meio retorcido, os cabelos arrepiados e duros, os olhos esbugalhados e uma expressão de terror atravessar a rua cambaleando entre os carros, e viu que esse rapaz desviava, ia e voltava, e os carros buzinavam, e ele parecia perdido, tonto, deslocalizado, drogado, e João só se deu conta que era Miguel quando ele conseguiu chegar do outro lado da calçada e já estava quase agachado na sua frente, e Miguel perguntou com a voz muito enrolada, fazendo um grande esforço pra falar, se João já tinha passado fome, se João já tinha sido estuprado, se João já tinha se viciado em alguma coisa, se João já tinha apanhado, se João já tinha sido jurado de morte, se João tinha precisado morar na rua, e João respondeu meio assustado que nunca tinha vivido nada disso, fome, estupro, vício, surra, ameaça de morte, nada.

Miguel disse que era claro que não, que dava pra ver, que tava na cara, e se levantou de repente e gritou que ele nunca ia entender nada, e repetiu isso três vezes, tu nunca vai entender nada, tu nunca vai entender nada, tu nunca vai entender nada, cada vez mais alto, e começou a chorar e perguntou com a voz muito baixa e ainda enrolada se João sabia quem precisava de ajuda, e João sentiu um arrepio e não conseguiu responder nada, e Miguel disse eu preciso de ajuda, cara, eu preciso, eu preciso de ajuda, sou eu que preciso de ajuda, cara, e as lágrimas desciam fartas pelo rosto descontrolado, enraivecido, babando seco pelo canto da boca, e João só pôde dizer que ele tinha toda a razão, absolutamente toda a razão, que ele não sabia de nada e que Miguel precisava de ajuda.

E todos ficaram em silêncio vendo aquele rapaz ir embora grunhindo coisas que ninguém conseguiu decifrar, magérrimo, todo sujo, meio manco, e quando começaram a gargalhar e a chamar Miguel de louco da pedra, João só conseguiu pensar que aquela era a loucura e a crueldade de uma cidade em que as boas intenções não servem pra nada, uma cidade onde a brutalidade desfaz um sonho em poucos meses, uma cidade cuja violência derrete toda e qualquer possibilidade de futuro, porque sabia que Miguel não ia durar muito mais, porque sabia que Miguel ia morrer em breve, porque sabia que Miguel ia parar na vala dos indigentes do São Miguel e Almas, assim como Dente, assim como Seco, assim como tantos outros, porque Miguel não ia largar a pedra, porque Miguel não ia ser internado, porque Miguel ia fumar até sumir, porque a rua cobra seu preço, e seu preço era aquele que João via acontecer todos os dias debaixo do nariz há vários meses, e não podia fazer nada porque não sabia de nada.

40.

No dia seguinte, na calçada em frente ao restaurante popular, Miguel se aproximou com a cabeça baixa, todo envergonhado, e disse que queria pedir desculpas por ontem, que não queria ter feito aquilo, que estava fazendo coisas que não queria fazer, e que por isso queria pedir que João se afastasse quando percebesse que ele estava muito doido, que era melhor pros dois, que tinha que ser assim. João disse que não faria isso, que podia aguentar o tranco, porque gostava muito dele, porque confiava muito nele, porque eram amigos, e que queria deixar claro que entendia as coisas que ele tinha dito e que ele tinha toda a razão, que concordava com ele, que queria agradecer por ele ter dito aquelas coisas, que tinha sido importante pra ele ouvir aquilo, que Miguel podia falar o que quisesse, que inclusive estava ali pra isso, pra aprender sobre a vida, pra sair da zona de conforto, mas também pra ajudar no que fosse possível.

Miguel disse que a rua não era fácil, que sempre soube disso, que nunca pensou que seria fácil, mas que não imaginava que fosse tão difícil, que é muita coisa que o cara tem que lidar, droga, fome, frio, preconceito, falta de dinheiro, roubo, violência, que às vezes era preciso atacar pra ser respeitado, atacar pra não ser atacado, atacar pra não ser morto, e que por isso estava andando armado fazia algumas semanas, que tinha uma faca bem afiada sempre com ele, e mostrou a faca discretamente pro João. João olhou quieto pra ele e não soube o que dizer, e Miguel disse que quando estivesse na fissura da pedra poderia pedir dinheiro e sabia que João não ia dar, e que não sabia como poderia reagir, porque ficava muito louco nessas horas, que podia agredir, que podia esfaquear, que talvez até pudesse matar, que não sabia mesmo, e que por isso queria que João ficasse o mais longe possível, porque não queria agredir o amigo, porque não queria esfaquear o amigo, porque não queria matar o amigo.

João repetiu que confiava nele, que estaria com ele na boa e na ruim, que torcia muito por ele, que tinha certeza que ele ainda teria muito sucesso na vida, que conseguiria fazer tudo o que tinha planejado, emprego, estudo, família, tudo, e que eram amigos, que entendia o que ele tinha dito, que sabia que às vezes era preciso andar armado, que ele não era o único, que muita gente tinha uma faca, um canivete, um estilete, coisas assim, até revólver, mas tinha certeza que Miguel não ia bater nele, não ia esfaquear ele, não ia matar ele, que sabia que isso não iria acontecer.

Miguel retrucou que não queria isso, que não queria encostar um dedo nele, que não se sentia capaz de fazer mal a uma mosca, mas que às vezes vinha um impulso que era mais forte do que ele, que ele se descontrolava, que saía de si, que virava um monstro, e que ficar longe era o modo como João podia ajudar, que essa era a ajuda que queria, que era um pedido de amigo, porque não tinha internação, porque a rua era foda, porque não conseguia largar a pedra, e que era só isso que queria pedir, que ele se afastasse quando visse que ele estava muito louco, por favor.

Depois de fazer esse pedido, Miguel não esperou João responder e saiu caminhando pela Erico Verissimo em direção à rótula do Papa, e João ficou na frente do restaurante mais um pouco, sentado no meio-fio por uns dez minutos, sozinho, fechando um palheiro, fumando, pensando naquilo tudo que Miguel tinha dito, naquilo tudo que Miguel vivia, naquela dureza, naquela dificuldade, naquele vício, naquela barra pesada, dez minutos que bastaram pra que Miguel voltasse com a cara completamente alterada como estava no dia anterior, os olhos revirados pra cima, a boca torta, a baba seca, o pescoço esticado, os músculos duros, e Miguel andou até João e ficou parado na frente dele, como se quisesse apenas mostrar esse espetáculo pedagógico, como se quisesse apenas gritar esse sou eu, esse sou eu, esse sou eu, isso é o que acontece comigo sempre, todo santo dia, essa é minha vida, tudo deu errado, nada vai dar certo, nada, nada, nada, por favor, sai de perto de mim.

41.

E foi impossível não sentir o frio no peito, o sufoco na garganta, o gosto ruim na boca e a vontade de chorar, de correr e de gritar e muitas outras coisas que nem sabia nomear e que João sentiu depois que Miguel virou as costas e foi embora sem dizer nenhuma palavra. João ficou olhando pro nada, atônito, e sem saber aonde ia, meio cego, num ímpeto, subiu a Erico Verissimo com passos rápidos, e foi assim, transtornado, por dois quilômetros e meio até a Praça Garibaldi, e ali pegou a direita e atravessou a Venâncio Aires inteira, mais um quilômetro e meio até a Osvaldo Aranha, e dobrou à esquerda, e depois dobrou à direita na Felipe Camarão, e de lá andou até a esquina com a Vasco da Gama, quase quarenta minutos de uma caminhada atordoada, perdida, descompensada que terminou na frente do prédio onde morou a vida toda e de onde havia saído não fazia nem um ano, catou a chave no bolsinho lateral da mochila, abriu o portão, subiu as escadas atarantado e abriu a porta.

Quando entrou no apartamento empoeirado viu o sofá, a mesa, a biblioteca, os discos e os quadros, toda a herança afetiva dos pais, aquelas pessoas a quem ele tanto devia, que tanto tinham feito por ele, que mandavam mensagens que ele respondia com monossílabos só dias depois, ok, sim, tá, bem, bom, pessoas que fazia muito tempo que não ligava, que não retornava as ligações e as mensagens, que não perguntava como estavam, como ia a vida em Ivoti, nada, nada, e de quem de repente sentia uma falta do tamanho do mundo, e depois de olhar tudo aquilo de perto e de tocar no sofá, na mesa, nos livros, nos discos e nas fotografias, foi até o quarto, e viu atrás da cama o porta-retratos de madeira com a foto que o pai tirou na saída da cerimônia de formatura, quase um ano atrás, ele, Maria e Dante de toga com a faixa verde da Psicologia, os três abraçados e sorridentes, amigos, namorados, parceiros, com os olhos brilhando na frente do auditório da faculdade, e pegou a fotografia nas mãos, e lembrou da expectativa, do frio na barriga, dos sonhos e do discurso que fez como orador da turma, quando disse que todas as entradas são boas desde que as saídas sejam múltiplas e que era preciso fazer da própria vida uma obra de arte, e lembrou do baile, uísque, Red Bull e cerveja, lança--perfume, brindes e mais brindes, trenzinho no salão e tudo que aquele grupo de amigos tinha direito, putaria, beijação, trago além da conta, farra, farra, farra, vale tudo, abra suas asas, solte suas feras, caia na gandaia, entre nessa festa, tudo isso até de madrugada, até o café da manhã na Lancheria do Parque, juntos, cansados e felizes com o passaporte pra mudar o mundo nas mãos, e se deu conta de que não tinha mais nenhuma notícia deles, de Maria, de Dante, de mais ninguém, que estava longe deles, que tinha brigado com eles, que tinha se afastado deles, que não sabia o que eles estavam fazendo, onde estavam, como estavam, aquelas pessoas com quem ele jurava que ia mudar o mundo e das quais agora não sabia mais nada.

    E deitou na cama que sempre tinha sido dele, e olhando pro teto, lembrou daquelas quatro pessoas que almoçavam quase em frente ao supermercado quando ele decidiu que ia montar uma mochila e partir, e lembrou da rebeldia, da adrenalina, da empolgação, da liberdade, da coragem, da mesada dos pais, da casa de Maria, do medo, e lembrou de Juninho, de Santos, de Dente, de Seco, de Melara e de Miguel, e lembrou de tantas outras pessoas que conheceu, e lembrou do estupro, da aids, da pedra, da tuberculose, do chão duro da vala comum de um cemitério, dos esqueletos sobrepostos debaixo da terra, e lembrou das facas na cintura e dos limites que nunca quis reconhecer, de tudo aquilo que obrigava a se desesperar, a ter vontade de se jogar do viaduto da Borges, ir pro meio do mato, parar de cena, dar um passo atrás, assumir a derrota, conseguir um emprego, vestir o uniforme, tirar a barba, cortar o cabelo, tomar um banho, ceder, chorar, chorar, chorar, porque as pessoas iam seguir sendo trituradas, destruídas, dizimadas todo dia, aqui, lá, perto, longe, onde fosse, porque a vida era aquilo, fronteiras, perdas, frustrações e nada mais, porque a vida era isso, a vida eram as coisas que a gente não pode mudar, porque a vida eram as coisas que ele nunca conseguiria mudar, porque a vida era esse túnel sem luz onde se acumulam os restos de tudo aquilo que nunca se conseguiu mudar, e ele sentia esse peso todo caindo sobre si, a perda dos pais, a perda de Maria, a perda de Dante, dos amigos, todas as perdas do mundo, e diante de todas as perdas do mundo só restava cair no choro convulsivo em que João caiu, porque ali, deitado naquela cama em que se deitava desde que era criança, se deu conta de que a vida era isso, convites, bifurcações, apostas frustradas, sonhos perdidos, limites, a vida era aquilo que nos fazia chorar, a vida era aquilo que não tinha saída, a vida era aquilo que nos fazia correr sem saber pra onde, a vida era aquilo que nos fazia estancar, a vida era aquilo que nos fazia desistir.

DESPEDIDA

1.

Antes de entrarmos nos carros, recolhemos quase todo o bagaço dos tempos eufóricos que vivemos juntos, tudo que era o testemunho das nossas mais firmes apostas existenciais, garrafas, latas, copos, embalagens, recipientes, baganas, tudo menos a brasa que ainda fumegava os derradeiros instantes da derradeira fogueira, a fogueira cujos resquícios insistiram em arder mesmo depois da nossa despedida, quando ainda não sabíamos que nunca mais voltaríamos àquela paisagem, os eucaliptos, as barracas, o céu, o mar, e só nos cabia imaginar que no dia seguinte, na semana seguinte, no mês seguinte, no ano seguinte, dez anos depois, cem anos depois, pouco importa, outros jovens teriam cinco ou seis dias tão felizes quanto os nossos naquele lugar, com suas drogas preferidas, que seriam outras que não as nossas, com suas músicas preferidas, que seriam outras que não as nossas, com seus amigos preferidos, que seriam outros que não os nossos, cinco ou seis dias que talvez fizessem com que acreditassem na vida como nós acreditamos, cinco ou seis dias que talvez fizessem com que acreditassem em um outro mundo como nós acreditamos, cinco ou seis dias que talvez fizessem com que acreditassem que dessa vez seria diferente como nós acreditamos, nós que trituramos juntos as lembranças de um futuro que nos fez viver por cinco ou seis dias, cinco ou seis meses, cinco ou seis anos, porque nossa frágil convicção não durou mais do que isso, cinco ou seis anos, cinco ou seis meses, cinco ou seis dias de alegria, luta e encantamento.

2.
E talvez as coisas sejam mesmo assim, o primeiro de janeiro sempre igual ao último de dezembro, esperanças, tentativas em sequência, chãos vazios, restos, uma fagulha, só uma fagulha com a qual cada geração se compara com as outras e entende o peso da sua derrota, mesmo que sua vida seja boa, mesmo que sua vida seja muito boa. Pra nós, já era hora. E nessa hora, a hora de uma outra geração, como a nossa, como a de antes da nossa, como a de antes de antes da nossa, como o moto contínuo de uma usina de sonhos que se esvaem aos poucos ou somem de repente sob a falsa impressão de que ainda haveria muito mais a fazer, mesmo quando não há nada mais a fazer.

Nota do autor

Algumas das histórias vividas por João são inspiradas em trechos dos livros Histórias de mim, organizado por Manoel Luce Madeira, e Como bruxos maneando ferozes, de Iacã Machado Macerata.

O item 3 do capítulo Inverno é inspirado no depoimento de Cecilia Coimbra às Comissões Nacional e Estadual da verdade e em seu livro Fragmentos de memórias malditas: invenção de si e de mundos.

Agradecimentos

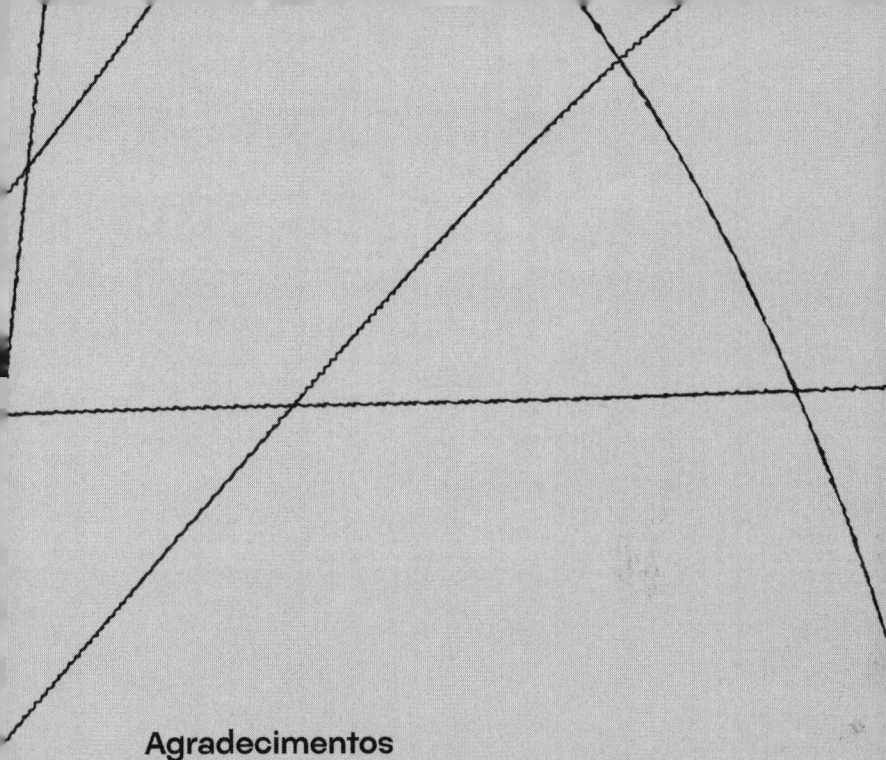

Lara Hausen Mizoguchi, Denise Costa Hausen, Ivan Mizoguchi, Alice De Marchi Pereira de Souza, Mayume Hausen Mizoguchi, Iuri Hausen Mizoguchi, João De Marchi Mizoguchi, Tom Mizoguchi Arrage, Otto Mizoguchi Arrage, Caio Antoniazzi Mizoguchi, Samir Arrage, Samanta Antoniazzi, Guillaume Pradere, Paloma Meirelles, Claudia Abbês, Eliane Arenas Mora, Letícia González, Gabriel Resende, Iacã Macerata, Jiulia Caliman, Marcelo Ferreira, Tainá Oliveira, Fernando Israel, Eduardo Passos, Hélder Muniz, Alexandre Kumpinski, Carolina Armani, Carolina Sarzeda, Roberto Andrade, Paulo Scott, Juliana Cecchetti, Ana Carolina Haubrichs, Alexei Indurski, Luis Antonio Baptista, Débora Inêz Brandão, Carolina De Marchi, Manoel Madeira, Julia Dantas, Rodrigo Rosp, Raquel Belisario, Luísa Zardo, Eduardo Krause, Gustavo Faraon, Boca de Rua.

Descubra a sua próxima
leitura na nossa loja online

dublinense .COM.BR

Composto em DOLLY e impresso na
PRINTSTORE, em PÓLEN BOLD 90g/m², no OUTONO de 2024.